Die besten Suppen & Eintöpfe

nach Landfrauenart

tandem.VERLAG
print line

Die besten Suppen & Eintöpfe nach Landfrauenart

Zusammengestellt von Gisela Muhr für NOVA Libra medien, Köln
Layout & Satz: Derek Gotzen und Ulrike Jasser für NOVA Libra medien, Köln
Einbandgestaltung: Marlies Müller

Gesamtherstellung: Tandem Verlag GmbH, Potsdam

ISBN 978-3-8427-0860-0

Einleitung

Wenn Sie mal wieder eine Landpartie machen, schauen Sie sich bewusst die schönen, alten Bauernhäuser oder die gepflegten Hausgärten an. Wie schaffen die das, und wer kümmert sich eigentlich darum? Welcher Großstädter weiß schon, welche Kraft in den Dörfern, auf dem flachen Lande steckt: bei den Landfrauen!

Wussten Sie, dass es in Deutschland einen Landfrauenverband mit 600 000 Mitgliedern gibt – und das bereits seit Ende des 19. Jahrhunderts!

Die Geschichte der Landfrauenbewegung begann vor mehr als hundert Jahren, am 2. Februar 1898. In Rastenburg in Ostpreußen gründete die Gutsbesitzerfrau Elisabet Boehm den ersten »Landwirtschaftlichen Hausfrauenverein« mit fünfzehn Mitgliedern: Land- und Stadtfrauen. Elisabet Boehm vermisste die Ausbildung der Landfrauen für deren Mehrfachbelastung als Frau, Mutter und als unentbehrliche Mitarbeiterin im Betrieb. Sie engagierte sich für die Gesundheit der Bäuerinnen und gegen die Unterbewertung deren Arbeit.

Elisabet Boehm war es auch, die die Biene zum Erkennungszeichen des ersten »Landwirtschaftlichen Hausfrauenvereins« machte. Warum die Biene? Landfrauen sind so tüchtig und fleißig wie die Bienen, tragen staatsbürgerliche Verantwortung, haben Gemeinschaftssinn und engagieren sich für Hilfe Suchende. Und als Qualitätszeichen schmückte die Biene zu Beginn der Landfrauenbewegung landwirtschaftliche Produkte – so gab es ab 1909 das »Bienenei«.

Natürlich entwickelten die Landfrauen eine eigene Kochkultur: Naturbelassen, einfach und ohne Schnickschnack – das wäre die kurze Beschreibung für die Küche der Landfrauen. Früher wurde auf dem Land mindestens einmal in der Woche der große Holzofen oder das Backhaus eingeheizt, um in einer bestimmten (ökologisch perfekten) Reihenfolge zu kochen und zu backen.

Auch wenn Sie keinen großen Holzofen mehr haben, können Sie mit den in diesem Buch beschriebenen Rezepten der Landfrauen wundervoll duftende, aromatisch schmeckende und pikante Suppen und Eintöpfe zu Hause nachkochen.

Und mit Grießnockerlsuppe, Laucheintopf, Graupeneintopf mit Pökelfleisch, Emmentaler Kartoffelsuppe oder deftiger Buttermilchsuppe werden Sie viel Lob für Ihre Kochkunst erhalten.

Mit natürlichen, einfachen Zutaten gekocht und fein im Geschmack, versprechen diese Suppen- und Eintopfgerichte Genuss pur. Mit viel Liebe wurden die ausführlichen Rezepte der Landfrauen ausgewählt, geprüft und mehrfach getestet. Außerdem sind sie mit hilfreichen Tipps und Erklärungen ergänzt und alphabetisch geordnet.

Nur, was auch wie ein echtes Landfrauengericht schmeckt, wurde in dieses Buch aufgenommen!

A

Apfelsuppe

Für 4 Personen
Zubereitungszeit: 20 Minuten
Kochzeit: 20 Minuten

Einkaufsliste/Zutaten

1 kg Äpfel
2 Scheiben Weißbrot
1 El Kartoffelstärke
1 El Butter
3 El Rosinen
1 El Mehl
1 Tl Butter
Geröstete Brotstückchen
2 El Zucker
1 Tl Zimt

Vorküche

Die Äpfel schälen, entkernen und klein schneiden.
Das Weißbrot würfeln und in der heißen Butter kross braten.

Zubereitung

Die Äpfel mit den Rosinen in einen Topf geben und mit 1 l Wasser aufgießen. 10 Minuten kochen lassen und danach stampfen. Mit in etwas Wasser aufgelöstem Mehl und aufgelöster Kartoffelstärke binden. Den Teelöffel Butter darin zerlaufen lassen.

Servieren

Servieren Sie die Apfelsuppe in Suppenschalen.
Geben Sie die Brotwürfel darüber und bestreuen Sie sie mit Zimt und Zucker.

Merkzettel

Diese Suppe schmeckt kalt und warm.

B

Basler Mehlsuppe

Für 4 Personen
Zubereitungszeit: 10 Minuten
Kochzeit: 55 Minuten

Einkaufsliste/Zutaten

50 g Butter
50 g Mehl
1 Zwiebel
500 ml Fleischbrühe
Salz
Weißer Pfeffer aus der Mühle
Muskatnuss
Majoran

Garnierung

4 El geriebener Käse

Vorküche

Die Butter erhitzen und das Mehl darin bräunen. Dabei mit einem Holzlöffel ständig rühren, damit das Mehl keine Klümpchen bildet und nicht anbrennt.

Zubereitung

Die Zwiebel schälen, sehr fein hacken, zufügen und mit anschwitzen. 1 l Wasser mit der Fleischbrühe in die Pfanne gießen und etwa 45 Minuten sanft köcheln lassen. Mit Salz, Pfeffer, Muskatnuss und Majoran abschmecken.

Servieren

Die Suppe auf Teller portionieren und mit je einem Löffel Käse bestreuen.

Merkzettel

Die Basler Mehlsuppe ist ein Gericht, das traditionell zur Fastnachtszeit serviert wird.

Bauernmarktsuppe

Für 4 Personen
Zubereitungszeit: 25 Minuten
Koch- & Bratzeit: ca. 1½ Stunden

Einkaufsliste/Zutaten

100 g magerer Speck
5 Zwiebeln
350 g Rindfleisch aus der Keule
1–2 Knoblauchzehen
100 g Salami
1 El Butter
5 El Öl
1 Tl gehackter Kümmel
Salz
1 Tl edelsüßes Paprikapulver
3 El Tomatenmark
1 l Brühe
350 g Sauerkraut
1 Tl Kapern
Abgeriebene Schale von 1 unbehandelten Zitrone

Garnierung

200 ml saure Sahne

Vorküche

Den Speck in feine Würfel schneiden. Die Zwiebel schälen und in feine Ringe schneiden. Das Rindfleisch waschen, trockentupfen und in nicht zu kleine Stücke schneiden. Den Knoblauch pellen und zerdrücken. Die Salami in feine Streifen schneiden und in 1 El Butter leicht anschwitzen.

Zubereitung

Das Öl in einem Topf erhitzen und den Speck darin auslassen. Die Zwiebeln dazugeben und andünsten. Die Rindfleischstücke mit Kümmel, Knoblauch, wenig Salz und Paprikapulver dazugeben und kräftig anbraten.
Dann Tomatenmark unterrühren, nochmals kurz anrösten lassen. Mit der Brühe ablöschen, zugedeckt aufkochen und etwa 1 Stunde auf mittlerer Hitze köcheln lassen.
Nach dieser Zeit das Sauerkraut dazugeben und gar ziehen lassen. Ist das Fleisch weich, die Kapern und die Salami sowie die geriebene Zitronenschale dazugeben.

Servieren

In tiefe Teller je 1 El saure Sahne geben und die Suppe darüber geben. Dazu frisches Weißbrot servieren.

Merkzettel

Das Rindfleisch erst kurz vor der Zubereitung klein schneiden, sonst verliert es rasch an Geschmack und Aussehen und wird zu schnell trocken.

Bayerische Kartoffelsuppe

Für 4 Personen
Zubereitungszeit: 30 Minuten
Koch- & Bratzeit: 30 Minuten

Einkaufsliste/Zutaten

500 g Kartoffeln
2 Zwiebeln
1 Stange Lauch
2 Möhren
100 g geräucherter, durchwachsener Speck
125 ml Sahne
2 Knoblauchzehen
4 El Butter
1,5 l Rinderbrühe
Salz
Schwarzer Pfeffer aus der Mühle
1 Tl getrockneter Majoran

Garnierung

Frische Majoranblätter

Vorküche

Kartoffeln und Zwiebeln schälen, waschen und zerkleinern.
Alles Gemüse putzen und ebenfalls zerkleinern.
Den Speck in kleine Würfel schneiden. Die Sahne halb steif schlagen.

Zubereitung

Zwiebeln, Lauch und Möhren mit dem Knoblauch in der Butter andünsten und die Speckwürfel zufügen. Die Kartoffeln dazugeben und mit der Brühe aufgießen. Mit Salz, Pfeffer und Majoran würzen und im geschlossenen Topf etwa 20 Minuten köcheln lassen.
Danach alles mit einem Kartoffelstampfer etwas zerdrücken.
Die Suppe sollte sämig, aber nicht zu fein gestampft werden.
Einige Kartoffel- und Gemüsestücke sollten noch zu erkennen sein.
Noch einmal abschmecken und mit der halb steif geschlagenen Sahne verfeinern.

Servieren

Die Suppe in tiefen Tellern mit frischen Majoranblättern bestreut servieren.

Merkzettel

Getrockneten Majoran zwischen den Händen zerreiben, dann entfaltet sich sein ganzes Aroma.

Biersuppe

Für 4 Personen
Zubereitungszeit: 10 Minuten
Koch- & Bratzeit: 15 Minuten

Einkaufsliste/Zutaten

1 l Bier
4 Eier
2 El Butter
4 Scheiben Weißbrot ohne Rinde
Salz
Muskatnuss

Garnierung

Geröstete Weißbrotwürfel

Vorküche

Das Bier in einen Topf füllen und vorsichtig erhitzen, es darf auf keinen Fall kochen. Die Eier in einer Schüssel verquirlen und 1 El Butter im heißen Bier schmelzen lassen.

Zubereitung

Das Weißbrot in Würfel schneiden und in der restlichen Butter in einer Pfanne goldbraun anrösten. Die verquirlten Eier unter Rühren in das heiße Bier geben. Die Suppe mit Salz und frisch geriebener Muskatnuss würzen.

Servieren

Das geröstete Weißbrot in vorgewärmte Suppenschalen verteilen und die Suppe darüber geben.

Merkzettel

Muskatnüsse können bis zu zwei Jahre gelagert werden, wenn sie dunkel und luftdicht verpackt sind.

Blindhuhn

(Eintopf mit geräuchertem Speck und Gemüse)

Für 4–6 Personen
Zubereitungszeit: 45 Minuten
Kochzeit: 2 Stunden

Einkaufsliste/Zutaten

150 g weiße Bohnen
500 g grüne Bohnen
1 Bund Möhren
500 g Kartoffeln
3 Äpfel (Boskop)
3 Birnen
3 Zwiebeln
400 g durchwachsener Speck
2 El Butter
Salz
Weißer Pfeffer aus der Mühle
Bohnenkraut

Garnierung

Fein gehackte Petersilie

Vorküche

Die weißen Bohnen über Nacht in 1,5 l Wasser einweichen. Am Tag der Zubereitung die grünen Bohnen waschen, entfädeln und in Stücke schneiden. Möhren und Kartoffeln schälen und in Scheiben schneiden. Äpfel und Birnen schälen, vom Kerngehäuse befreien und in Spalten schneiden. Die Zwiebel schälen und würfeln.

Zubereitung

Die weißen Bohnen mit dem Speck im Einweichwasser eine gute Stunde kochen lassen. Nun die grünen Bohnen, Kartoffeln und Möhren zufügen. Mit Salz, weißem Pfeffer und Bohnenkraut würzen und weitere 30 Minuten abgedeckt auf mittlerer Flamme köcheln lassen. Apfel- und Birnenspalten in den Topf füllen und weitere 30 Minuten garen. In dieser Zeit die Butter in einer Pfanne erhitzen und darin die Zwiebelwürfel goldbraun braten. Zum Eintopf geben und gut unterheben. Den Speck herausnehmen und in Portionsstücke schneiden.

Servieren

Servieren Sie den Eintopf mit reichlich Petersilie bestreut. Reichen Sie den Speck separat mit einem scharfen Mostert (Senf).

Merkzettel

Verwenden Sie, wenn möglich, frisches Bohnenkraut. Sein Geschmack ist unvergleichlich.

Blumenkohlsuppe

Für 4 Personen
Zubereitungszeit: 25 Minuten
Kochzeit: 10 Minuten

Einkaufsliste/Zutaten

1 Blumenkohl
1–1,5 l Fleisch- oder Geflügelbrühe
50 g Butter
2 El Mehl
50 ml Milch
2 Eigelb
2 Tl Kerbel

Garnierung

½ Bund gehackte Petersilie

Vorküche

Den Blumenkohl in kleine Röschen schneiden und waschen.

Zubereitung

Die Fleisch- oder Geflügelbrühe in einem großen Topf zum Kochen bringen, den Blumenkohl dazugeben und etwa 10 Minuten kochen lassen.
In einem zweiten Topf die Butter zerlassen, das Mehl einrühren und die kalte Milch nach und nach einrühren. Mit etwas Brühe auffüllen, aufkochen lassen und in die Suppe rühren. Die Suppe nochmals kurz aufkochen lassen und vom Herd nehmen. Die Eigelbe mit einigen Löffeln der Suppe verrühren und mit dem Kerbel unter die Blumenkohlsuppe rühren.

Servieren

Die Blumenkohlsuppe in tiefe Teller füllen und mit der Petersilie bestreut servieren.

Merkzettel

Sie können die Fleisch- oder Geflügelbrühe auch durch Gemüsebrühe ersetzen.

Bohnentopf

Für 4 Personen
Zubereitungszeit: 30 Minuten
Koch- & Bratzeit: 1 ¼ Stunden

Einkaufsliste/Zutaten

200 g Lammfleisch
250 g geräucherter Schweinehals
1 kg kleine Kartoffeln
1 kg grüne Bohnen
250 g Möhren
1 El Öl
Salz
1 Zweig Bohnenkraut

Garnierung

Einige Blättchen Bohnenkraut

Vorküche

Lammfleisch und Schweinehals unter fließendem Wasser abwaschen, trockentupfen und in mundgerechte Würfel schneiden. Die Kartoffeln schälen und würfeln. Die Bohnen waschen, von den Fäden befreien, die Möhren putzen und in Scheiben schneiden.

Zubereitung

Das Öl in einem Topf erhitzen und die Fleischstücke von allen Seiten anbraten. Das Gemüse bis auf die Kartoffeln zu dem Fleisch geben, salzen und mit 125 ml heißem Wasser ablöschen. Das Bohnenkraut obenauf legen, alles mit den Kartoffelwürfeln abdecken und salzen. Im geschlossenen Topf 1 Stunde köcheln lassen, bis die Kartoffeln gar sind.

Servieren

Den Bohnentopf noch heiß zu Tisch bringen, mit einigen Blättchen Bohnenkraut bestreuen und ein kräftiges Bauernbrot dazu reichen.

Merkzettel

Bohnen sollten immer gekocht verzehrt werden, da beim Kochen das ungesunde Phasin zerstört wird.

Bremer Hasensuppe

Für 6 Personen
Zubereitungszeit: 20 Minuten
Kochzeit: 1 ½ Stunden

Einkaufsliste/Zutaten

100 g durchwachsener Speck
3 Zwiebeln
2 Lorbeerblätter
3 Nelken
1 Stange Lauch
2 Möhren
50 g Butter
1 kg Hasenklein
1 Speckschwarte
100 ml Sahne
1 El gekörnte Gemüsebrühe (instant)
250 ml Rotwein
Salz
Frisch geriebene Muskatnuss

Garnierung

Petersilienblättchen

Vorküche

Den Speck würfeln, 2 Zwiebeln schälen und würfeln, die andere schälen und mit den Lorbeerblättern und Nelken spicken. Lauch und Möhren putzen und in dünne Ringe schneiden.

Zubereiten

Die Butter in einem großen Topf schmelzen und darin das Hasenklein mit dem gewürfelten Speck anbraten. 1,5 l Wasser angießen und alles vorbereitete Gemüse und die Speckschwarte zufügen. Im geschlossenen Topf 1 gute Stunde köcheln lassen. Speckschwarte, gespickte Zwiebel und das Hasenklein aus dem Topf nehmen. Das Hasenfleisch von den Knochen lösen, in kleine Stücke schneiden und wieder in die Suppe geben. Sahne, gekörnte Brühe und den Rotwein dazugeben und mit wenig Salz und Muskatnuss würzen.

Servieren

Die Suppe zum Servieren in eine Suppenschüssel füllen und mit Petersilienblättchen bestreut zu Tisch bringen.

Merkzettel

Unbedingt frisch geriebene Muskatnuss verwenden. Schon fertig geriebener Muskat hat das meiste Aroma verloren.

Brennnesselsuppe

Für 4 Personen
Zubereitungszeit: 20 Minuten
Koch- & Bratzeit: 25 Minuten

Einkaufsliste/Zutaten

2 El Butter
1 Zwiebel
500 g Kartoffeln
125 ml Weißwein
100 g frische, junge Brennnesselblätter
500 ml Gemüsebrühe
Salz
Weißer Pfeffer aus der Mühle
1 Prise Zucker
1 Prise Muskatnuss
1 Tl Zitronensaft
200 ml süße Sahne
2 Eigelb

Garnierung

1 El gehackte Petersilie

Vorküche

Die Butter in einem Topf erhitzen, die Zwiebel schälen, klein hacken und darin anschwitzen. Die Kartoffeln waschen, schälen, in kleine Würfel schneiden und mit andünsten. Mit Weißwein ablöschen und 6–8 Minuten köcheln.

Zubereitung

Die Brennnesselblätter waschen, putzen und klein hacken. Die Gemüsebrühe angießen, Brennnesselblätter zugeben und kurz aufkochen lassen. Das Ganze mit Salz, Pfeffer, Zucker, Muskatnuss und Zitronensaft kräftig abschmecken und weitere 15–20 Minuten köcheln lassen. Die Suppe anschließend in den Mixer geben oder mit einem Pürierstab pürieren und nochmals aufkochen lassen. Die Sahne mit den Eigelben verquirlen und die Suppe damit binden. Sobald die Suppe eindickt, vom Herd nehmen.

Servieren

Die Suppe abschmecken und mit Petersilie bestreut servieren.

Merkzettel

Brennnesseln sollten nur bis zu einer Höhe von 10 cm geerntet werden.
Beste Erntezeit ist von März bis April.

D

Deftige Buttermilchsuppe

Für 4 Personen
Zubereitungszeit: 15 Minuten
Koch- & Bratzeit: 10 Minuten

Einkaufsliste/Zutaten

100 g magerer Speck
1 mittelgroße Zwiebel
1 El Stärkemehl
500 ml Buttermilch
500 ml Fleischbrühe
2 Eigelb
Salz

Garnierung

1 Bund in feine Röllchen geschnittener Schnittlauch

Vorküche

Den Speck in kleine Würfel schneiden.
Die Zwiebel schälen und fein würfeln.

Zubereitung

Den Speck in einer Pfanne kross braten. Die Zwiebel dazugeben und goldbraun braten. Die Pfanne vom Herd ziehen. Stärkemehl mit etwas kalter Buttermilch verrühren. Die übrige Buttermilch mit der Fleischbrühe in einen Topf füllen und mit dem Stärkemehl binden. Unter Rühren zum Kochen bringen, kurz aufwallen lassen und gleich vom Herd nehmen. Speck und Zwiebeln sowie die beiden Eigelbe einrühren, mit Salz abschmecken.

Servieren

Füllen Sie die Buttermilchsuppe in Suppentassen und bestreuen diese mit den Schnittlauchröllchen.

Merkzettel

Kalte Buttermilch ist ein fettarmes Erfrischungsgetränk mit 91 % Wasseranteil.

Dicke Bohnensuppe

Für 4 Personen
Zubereitungszeit: 45 Minuten
Kochzeit: 50 Minuten

Einkaufsliste/Zutaten

250 g geräucherter Bauchspeck
1 Zwiebel
500 g dicke Bohnen (ausgepult gewogen)
500 g Kartoffeln
1 El Schweineschmalz
1 Zweig frisches Bohnenkraut oder
½ Tl getrocknetes Bohnenkraut
1 El Speisestärke
125 ml Sahne
Salz
Schwarzer Pfeffer aus der Mühle

Garnierung

Einige Bohnenkrautblättchen

Vorküche

Den Speck in vier gleiche Stücke teilen und die Zwiebel in Würfel schneiden. Dicke Bohnen aus den Hülsen pulen. Kartoffeln schälen und würfeln.

Zubereitung

Den Speck mit der in Würfel geschnittenen Zwiebel im heißen Schmalz anbraten. Mit 500 ml Salzwasser ablöschen und 30 Minuten vorkochen. Danach die Bohnen und die geschälten, gewürfelten Kartoffeln und das Bohnenkraut dazugeben. 15 Minuten garen. Danach die in Sahne angerührte Speisestärke einrühren, aufkochen lassen und würzen. Den Speck aus der Suppe nehmen.

Servieren

Servieren Sie die Suppe mit einigen Bohnenkrautblättchen bestreut. Reichen Sie den Speck separat dazu.

Merkzettel

Frische dicke Bohnen sind schnell gar. Sie müssen darauf achten, dass sie nicht verkochen.

Dicke Milchsuppe

Für 4–6 Personen
Zubereitungszeit: 20 Minuten
Kochzeit: 1 Stunde

Einkaufsliste/Zutaten

125 ml Sahne
2–3 El Zucker
2 Eigelb
4 Scheiben Pumpernickel
100 g Johannisbeeren
1 l Dickmilch
1 Stange Zimt

Garnierung

Johannisbeeren

Vorküche

Die Sahne mit Zucker und Eigelb gründlich verschlagen. Den Pumpernickel zerkrümeln. Johannisbeeren waschen und von den Stielen zupfen.

Zubereitung

Die Dickmilch mit dem Pumpernickel und Zimt etwa 1 Stunde kochen. In dieser Zeit die Suppe mit dem Schneebesen gut schlagen, da die Milch schnell gerinnt. Nun die Zimtstange entfernen und die Suppe von der Flamme nehmen. Unter ständigem Rühren das Sahne-Zucker-Eier-Gemisch in die heiße Suppe geben.

Servieren

Servieren Sie diese Suppe in Suppenschalen und streuen Sie einige Johannisbeeren darüber.

E

Ebbelwoisupp

(Apfelweinsuppe)

Für 4 Personen
Zubereitungszeit: 5 Minuten
Kochzeit: 10 Minuten

Einkaufsliste/Zutaten

2 Eier
1,5 l Apfelwein
100 g Zucker
1 Zimtstange
1 ungespritzte, ungeschälte Zitronenscheibe
1 El Mehl

Garnierung

Schneeklößchen aus geschlagenem Eiweiß

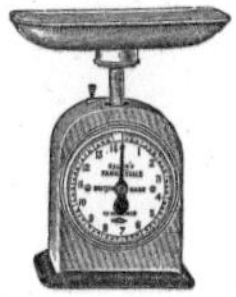

Vorküche

Die Eidotter vom Eiweiß trennen.

Zubereitung

Apfelwein, 500 ml Wasser, Zucker, Zimtstange und Zitronenscheibe langsam aufkochen. Das Mehl mit etwas Wasser in einer Tasse glatt rühren, mit einem Schneebesen in die Suppe einrühren und abbinden. Anschließend die geschlagenen Eigelbe unterrühren, nicht mehr aufkochen. Die Eiweiße mit ein wenig Zucker zu Schnee schlagen, mit 2 Teelöffeln kleine Klößchen formen und diese auf die Suppe setzen. Zugedeckt noch etwa 5 Minuten in der heißen Suppe ziehen lassen.

Servieren

Darauf achten, dass die Schneeklößchen beim Ausschöpfen in die Teller obenauf schwimmen.

Merkzettel

Mit »Stöffchen«, wie der Apfelwein in Hessen heißt, lässt sich so manches Rezept abrunden.

Emmentaler Kartoffelsuppe

Für 4 Personen
Zubereitungszeit: 20 Minuten
Kochzeit: 45 Minuten

Einkaufsliste/Zutaten

1 kg Kartoffeln
1 Zwiebel
2 Stangen Lauch
2 Möhren
2 El Butter
1,5 l Fleischbrühe
1 Tl Mehl
3 El saure Sahne
1 El Majoran
2 El Petersilie
Salz
Weißer Pfeffer aus der Mühle
Muskatnuss
1 Schuss Essig

Garnierung

4 Scheiben Emmentaler

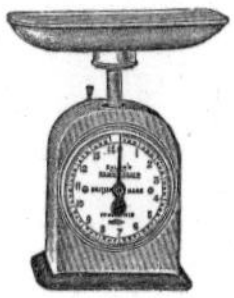

Vorküche

Die Kartoffeln waschen, schälen und würfeln. Zwiebel, Lauch und Möhren putzen und ebenfalls klein schneiden.

Zubereitung

Die Butter in einem Topf erhitzen und die Zwiebel darin anschwitzen. Kartoffeln, Lauch und Möhren zugeben, die Fleischbrühe angießen und alles bei mäßiger Hitze etwa 30 Minuten köcheln lassen.
Das Mehl mit der Sahne vermischen und zusammen mit dem Majoran und der Petersilie zugeben. Nochmals 10 Minuten köcheln lassen. Mit Salz, Pfeffer und Muskatnuss würzen. Kurz vor dem Anrichten mit einem Schuss Essig abschmecken.

Servieren

Je eine Scheibe Emmentaler in die vorgewärmten Suppenteller legen und die Suppe darüber geben.
Dazu schmeckt eine Scheibe geröstetes Weißbrot.

Merkzettel

Muskatnüsse sollten dunkel und luftdicht verpackt gelagert werden. So halten sie sich mehrere Jahre.

Erbsensuppe auf Thüringer Art

Für 4 Personen
Zubereitungszeit: 25 Minuten (ohne Wartezeit)
Koch- & Bratzeit: 70 Minuten

Einkaufsliste/Zutaten

500 g gelbe Erbsen
500 g Schweineohren
4 Lauchstangen
3 fest kochende Kartoffeln
80 g magerer Speck
1 Bund Petersilie
2 Brötchen
2 El Butter
Majoran
Salz
Weißer Pfeffer aus der Mühle

Garnierung

Geröstete Weißbrotwürfel

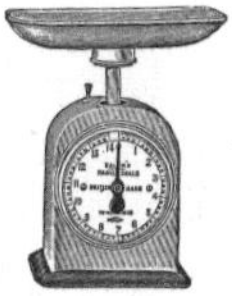

Vorküche

Die Erbsen über Nacht in 2 l Wasser einweichen.
Die Schweineohren gut waschen. Die Lauchstangen von den äußeren Blättern befreien, waschen, stückweise längs halbieren und in feine Streifen schneiden. Die Kartoffeln schälen, waschen und in feine Würfel schneiden. Den Speck ebenfalls in kleine Würfel schneiden. Die Petersilie gründlich waschen, trockenschütteln und fein hacken. Die Brötchen in kleine Würfel schneiden und in der heißen Butter goldbraun rösten.

Zubereitung

Die eingeweichten Erbsen mit dem Einweichwasser und den Schweineohren ansetzen, etwa 1 Stunde weich kochen.
Zwischenzeitlich in einem weiteren Topf den Speck auslassen und darin die Lauchstreifen und die Kartoffelwürfel andünsten.
Wenn die Erbsen und die Schweineohren gar sind, das Fleisch herausnehmen und grob würfeln. Die Fleischstücke zusammen mit dem Lauch-Kartoffel-Gemisch in die Suppe geben.
Mit etwas Majoran, Salz und Pfeffer abschmecken, nochmals gut durchziehen lassen.
Die Petersilie dazugeben und verrühren.

Servieren

Füllen Sie die Erbsensuppe in tiefe Teller. Mit den gerösteten Weißbrotwürfeln bestreut servieren.

Merkzettel

Die Erbsen erst nach der Garzeit salzen, da sie sonst nicht weich werden.
Die Schweineohren bei Ihrem Metzger vorbestellen.

Erbsensuppe mit Klümpe

Für 4–6 Personen
Zubereitungszeit: 30 Minuten
Kochzeit: 30 Minuten

Einkaufsliste/Zutaten

2 Stangen Lauch
1 kg frisch gedöppte (frisch gepulte) Erbsen
2 l Gemüsebrühe
1 Tl Butter
Salz
Weißer Pfeffer aus der Mühle

Für die Klümpe
1 Tasse Milch
1 Prise Salz
30 g Butter
1 Tasse Mehl
3 Eier

Garnierung

Petersilienblättchen

Vorküche

Den Lauch in feine Ringe schneiden.

Zubereitung

Die Erbsen und den Lauch in der Brühe etwa 10–12 Minuten garen, mit der Butter verfeinern. Herzhaft mit Salz und Pfeffer abschmecken. In der Zwischenzeit werden die Klöße wie folgt bereitet: Die Milch mit der Prise Salz und der Butter aufkochen. Die gesamte Mehlmenge auf einmal in die Milch schütten und gut verrühren, es dürfen sich keine Klümpchen bilden. Am Topfboden abbrennen lassen. Das heißt, der Teig löst sich mit der Zeit vom Topfboden und wird zu einem Kloß. Diesen etwas abkühlen lassen, dann nach und nach die Eier einrühren. Mit einem nassen Löffel kleine Klößchen abstechen, diese in die heiße Suppe gleiten und darin 10 Minuten ziehen lassen.

Servieren

Servieren Sie die Suppe in einer Suppenschüssel und geben Sie noch einige Petersilienblättchen darüber.

Merkzettel

Erbsensuppe aus frischen, aromatischen Erbsen ist im Handumdrehen fertig.

F

Festtagssuppe

Für 4 Personen
Zubereitungszeit: 20 Minuten
Kochzeit: 1 ½ Stunden

Einkaufsliste/Zutaten

1 kg Suppenfleisch
2 Stangen in feine Ringe geschnittener Lauch
2 geschälte, gewürfelte Möhren
½ Sellerieknolle
2 Lorbeerblätter
1 Nelke
1 geschälte, in Stücke geschnittene Petersilienwurzel
5 Wacholderbeeren
1 Tl Pfefferkörner
Salz
Weißer Pfeffer aus der Mühle

Garnierung

2 El gehackte Petersilie

Vorküche

Das Suppenfleisch unter fließendem Wasser gründlich abspülen und abtrocknen.

Zubereitung

Das Suppenfleisch in 2,5 l kaltem Wasser zum Kochen bringen, die Hälfte des Gemüses mit den Lorbeerblättern, der Nelke, der Petersilienwurzel, den Wacholderbeeren und den Pfefferkörnern zugeben und alles bei kleiner Hitze 1 Stunde köcheln lassen. Nach Ende der Garzeit das Fleisch aus der Suppe nehmen und in kleine Würfel schneiden. Die Suppe durch ein Sieb gießen, wieder in den Topf geben und das restliche Gemüse zugeben. Mit Salz und Pfeffer abschmecken und alles weitere 30 Minuten garen. Anschließend das klein geschnittene Suppenfleisch zum Erwärmen wieder in die Suppe geben.

Servieren

Die Suppe in eine angewärmte Suppenterrine füllen und mit der gehackten Petersilie garnieren.

Merkzettel

Achten Sie beim Einkauf von Suppenfleisch darauf, dass es eine feine Gelee- oder Fettader hat, nur so entfaltet es den delikaten Geschmack.

Flädlesuppe

(Rindfleischsuppe mit Pfannkuchenstreifen)

Für 4 Personen
Zubereitungszeit: 20 Minuten
Koch- & Bratzeit: 2 Stunden

Einkaufsliste/Zutaten

500 g Rinderbrust
2 halbe, angeröstete Zwiebeln
2 Möhren
¼ Sellerieknolle
1 Stange Lauch
1 Bund Petersilie
Salz
Weißer Pfeffer aus der Mühle
Muskatnuss

Für die Flädle

250 ml Milch
200 g Mehl
Salz
3 Eier
Schmalz zum Ausbacken

Garnierung

Schnittlauchröllchen

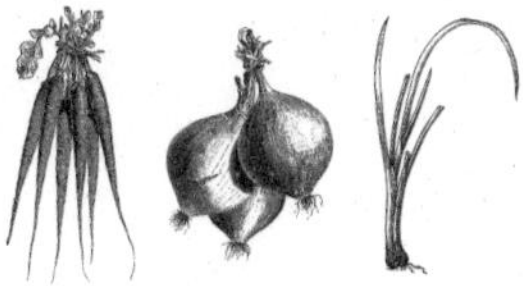

Vorküche

Das Fleisch unter fließendem Wasser abwaschen und trocknen. Möhren und Sellerie putzen und würfeln.

Zubereitung

Das Fleisch in kaltem Wasser aufsetzen, Möhren- und Selleriewürfel zugeben und alles 1½ Stunden köcheln lassen. Lauch und Petersilie putzen, mit den beiden Zwiebelhälften zu der Suppe geben und weitere 30 Minuten köcheln lassen. In der Zwischenzeit die Milch erhitzen, das Mehl einrühren, salzen und eine halbe Stunde stehen lassen. Dann die Eier aufschlagen und in die Milch einrühren. Das Schmalz in einer Pfanne erhitzen und mit einer Schöpfkelle so viel Teig einfüllen, dass der Pfannenboden eben bedeckt ist. Den Pfannkuchen von beiden Seiten goldgelb ausbacken, noch heiß aufrollen und in feine Streifen schneiden. Aus dem restlichen Teig ebenfalls Flädle herstellen.

Servieren

Die Flädle in vorgewärmte Suppenteller geben, mit der Brühe übergießen und mit den Schnittlauchröllchen garnieren.

Merkzettel

Schnittlauch darf nicht gebraten oder gekocht werden, da er sonst sein zartes Aroma verliert.

Fränkische Kartoffelsuppe

Für 4 Personen
Zubereitungszeit: 20 Minuten
Koch- & Bratzeit: 45 Minuten

Einkaufsliste/Zutaten

100 g durchwachsener Speck
1 Stange Lauch
1 Möhre
¼ Knollensellerie
1 Zwiebel
1 l Fleischbrühe
1,5 kg mehlig kochende Kartoffeln
Salz
Weißer Pfeffer aus der Mühle
1 Tl getrockneter Majoran
4 Siedewürstchen

Garnierung

2 El fein gewiegte Petersilie

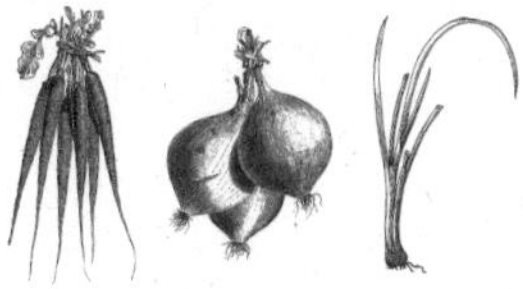

Vorküche

Den Speck würfeln und in einem Topf ausbraten. Das Wurzelgemüse sorgfältig putzen und fein würfeln. Die Zwiebel schälen und hacken.

Zubereitung

Alle Zutaten in dem ausgelassenen Speckfett andünsten, mit der Fleischbrühe aufgießen und kurz aufkochen lassen. In der Zwischenzeit die Kartoffeln waschen, schälen, in Würfel schneiden und in die Suppe geben. Alles bei kleiner Hitze etwa 30 Minuten köcheln lassen. Nach Ende der Garzeit die Kartoffeln in der Suppe stampfen oder mit einem Handmixer pürieren. Die Suppe mit Salz, Pfeffer und Majoran würzen, die Siedewürstchen in die Suppe legen und in 10 Minuten warm ziehen lassen.

Servieren

Die Suppe in eine vorgewärmte Suppenterrine geben, mit der gewiegten Petersilie garnieren und sofort zu Tisch bringen.

Merkzettel

Majoran wird das ganze Jahr über frisch oder getrocknet angeboten. Wegen der empfindlichen ätherischen Öle darf man ihn nur kurz erhitzen.

Frühlingssuppe – quer durch den Garten

Für 4 Personen
Zubereitungszeit: 30 Minuten
Kochzeit: 40 Minuten

Einkaufsliste/Zutaten

1 Kohlrabi
1 Möhre
1 Petersilienwurzel
100 g grüne Bohnen
¼ Knollensellerie
50 g Zuckerschoten
50 g frische junge Erbsen
2 El Butter
1 l Gemüsebrühe
Kräutersalz
Weißer Pfeffer aus der Mühle
Frisch geriebene Muskatnuss

Garnierung

Gehackte Petersilie
und Schnittlauchröllchen

Vorküche

Kohlrabi, Möhre, Petersilienwurzel, grüne Bohnen und Knollensellerie putzen und in feine Streifen schneiden. Zuckerschoten und Erbsen unter kaltem Wasser abwaschen und gut abtropfen lassen.

Zubereitung

Die Butter in einem Topf schmelzen und darin das Gemüse andünsten. Mit der Gemüsebrühe aufgießen, herzhaft salzen und pfeffern. Etwa 20 Minuten leicht köcheln lassen. Zum Schluss mit frischer Muskatnuss abschmecken.

Servieren

Servieren Sie die Frühlingssuppe mit Petersilie und Schnittlauch bestreut.

Merkzettel

Es eignen sich alle Gemüsesorten für diese köstliche Suppe.
Nehmen Sie einfach die Gemüsesorten, die gerade Saison haben.

G

Graupeneintopf mit Pökelfleisch

Für 4–6 Personen
Zubereitungszeit: 40 Minuten
Kochzeit: 1 Stunde

Einkaufsliste/Zutaten

800 g Pökelfleisch (Eisbein oder Rippchen)
150 g Perlgraupen
250 g Kartoffeln
250 g Sellerieknolle
250 g Möhren
3 Zwiebeln
2 Stangen Lauch
1 Bund glatte Petersilie
Schwarzer Pfeffer aus der Mühle

Garnierung

Petersilienblättchen

Vorküche

Das Fleisch waschen und mit etwa 3 l Wasser in einen großen Topf geben. Die Graupen in ein Sieb schütten, mit kaltem Wasser abspülen und zum Fleisch geben. Aufkochen und ca. 1 Stunde auf kleiner Flamme köcheln lassen.

In dieser Zeit die Kartoffeln und das Gemüse schälen, putzen, waschen und in kleine Würfel oder Ringe schneiden. Die Petersilie waschen, einige Blättchen zurückbehalten, den Rest grob hacken.

Zubereitung

25 Minuten vor Ende der Garzeit Kartoffeln, Sellerie, Möhren und Zwiebeln in die Suppe geben. 15 Minuten später den Lauch zufügen und bis zum Schluss kochen lassen.

Das Fleisch aus der Suppe heben und in mundgerechte Stücke schneiden. Mit der gehackten Petersilie wieder in den Topf geben. Zum Schluss mit schwarzem Pfeffer abschmecken.

Servieren

Servieren Sie diese kräftige Suppe mit Petersilienblättchen bestreut.

Merkzettel

Diese Suppe benötigt kein Salz mehr. Sie bekommt ihre Würze durch das Pökelfleisch.

Graupen sind geschälte, polierte und rund geschliffene Gerstenkörner und werden gerne in der Vollwertküche verwendet.

Ihre Kochzeit muss mindestens 1 Stunde betragen, damit sie richtig aufquellen können.

Graupensuppe

Für 4 Personen
Zubereitungszeit: 30 Minuten
Kochzeit: ca. 1¾ Stunden

Einkaufsliste/Zutaten

600 g Rindfleisch
2 Möhren
¼ Sellerieknolle
6 Kartoffeln
1 kleine Lauchstange
1 Zwiebel
1 El gekörnte Fleischbrühe
250 g Graupen
Salz
Pfeffer

Garnierung

1 El gehackte Petersilie

Vorküche

Das Fleisch waschen. Möhren, Sellerie und Kartoffeln schälen, waschen und in kleine Stücke schneiden. Die Lauchstange von den äußeren Blättern befreien, in feine Ringe schneiden, waschen und abtropfen lassen. Die Zwiebel schälen und in Würfel schneiden.

Zubereitung

In einem ausreichend großen Topf Wasser zum Kochen bringen, das Fleisch hineingeben und aufkochen lassen. Die Brühe und die Zwiebelwürfel dazugeben und etwa 1 Stunde bei mittlerer Hitze köcheln lassen. Dann die Graupen dazugeben und etwa 30 Minuten weitergaren. Anschließend das Gemüse zur Brühe geben und nochmals 20 Minuten kochen lassen. Mit Salz und Pfeffer abschmecken. Das Fleisch aus der Suppe heben, in kleine Würfel schneiden und wieder zurück zur Suppe geben.

Servieren

Die Graupensuppe in tiefe Teller füllen und mit Petersilie bestreut servieren.

Merkzettel

Graupen galten früher als »Arme-Leute-Essen«, weil sie meist ohne Fleisch, Speck oder Gemüse angerichtet wurden.

Grießnockerlsuppe

Für 4 Personen
Zubereitungszeit: 20 Minuten (ohne Wartezeit)
Kochzeit: ca. 15 Minuten

Einkaufsliste/Zutaten

1 l Rindfleischbrühe
4 El Butter
½ Tl Salz
Muskatnuss
3 mittelgroße Eier
150 g Hartweizengrieß
1 Bund Petersilie

Garnierung

Gehackte Petersilie

Vorküche

Die weiche Butter mit dem Handrührer schaumig schlagen,
Salz und frisch geriebene Muskatnuss zufügen.
Nach und nach die Eier und den Hartweizengrieß unterrühren.
Es soll ein fester Teig entstehen.
Anschließend 30 Minuten ruhen lassen.
Die Brühe zum Kochen bringen. Die Petersilie grob hacken.

Zubereitung

Hände und einen Teelöffel anfeuchten. Mit dem Löffel Teig abstechen und mit den Händen Nocken formen. Die Nocken in die kochende Brühe legen und die Hitze sofort reduzieren.
Zugedeckt 15 Minuten in der Brühe ziehen lassen.
Die Nocken sind gar, wenn sie oben schwimmen.

Servieren

In jeden Suppenteller Nocken geben und mit der heißen Brühe aufgießen. Mit gehackter Petersilie bestreuen und servieren.

Merkzettel

Man kann die gehackte Petersilie auch in den Nockenteig geben.

Grünkohl mit Mettwurstenden und geräuchertem Speck

Für 4 Personen
Zubereitungszeit: 40 Minuten
Kochzeit: 50 Minuten

Einkaufsliste/Zutaten

2 kg Grünkohl
750 g Kartoffeln
2 Zwiebeln
2 El Schweineschmalz
250 g durchwachsener Speck
4 Mettwurstenden
Schwarzer Pfeffer aus der Mühle
Salz

Garnierung

Senf

Vorküche

Den Grünkohl von den Rispen streifen und mit dem Messer fein hacken. Kartoffeln schälen, vierteln und in kaltes Wasser legen. Die Zwiebeln schälen und fein würfeln.

Zubereitung

Das Schweineschmalz in einem Topf erhitzen und darin die Zwiebel andünsten. Den Kohl, die Kartoffeln und den Speck zufügen und mit knapp 500 ml Wasser aufgießen. Im geschlossen Topf 35–40 Minuten köcheln lassen. 15 Minuten vor Ende der Garzeit die Mettwürstchen zufügen und mitgaren lassen. Zum Schluss mit Pfeffer und etwas Salz abschmecken.

Servieren

Servieren Sie den Grünkohl mit je einer Mettwurst und einem Stück Speck. Geben Sie auf jeden Teller einen guten Klecks Senf. Zur besseren Bekömmlichkeit serviert man traditionsgemäß einen klaren Korn dazu.

Merkzettel

Grünkohl sollte einmal Frost mitbekommen. Danach ist er noch besser im Geschmack.

H

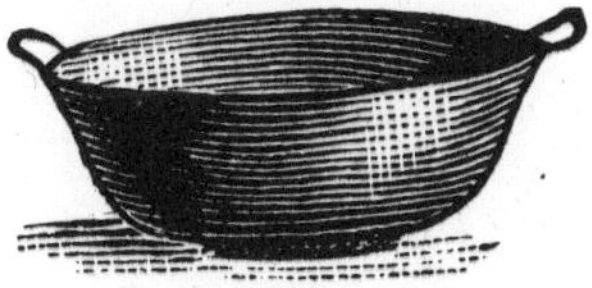

Hamburger Aalsuppe

Für 4 Personen
Zubereitungszeit: 40 Minuten
Kochzeit: ca. 1½ Stunden

Einkaufsliste/Zutaten

1 Schinkenknochen vom Katenschinken
250 g Backobst
250 g Möhren
1 Sellerieknolle
2 Lauchstangen
1 Bund Petersilie
500 g frischer Aal (küchenfertig)
20 g Butter
2 El Mehl
2 El Essig
1 El Zucker
Salz

Garnierung

Petersilienblättchen

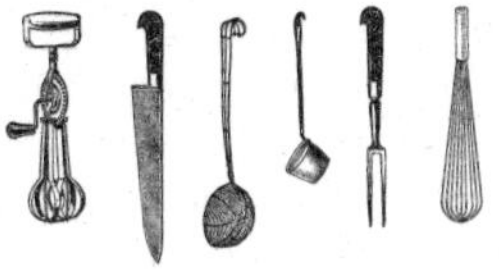

Vorküche

Den Schinkenknochen in etwa 3 l Wasser aufsetzen und etwa 1 Stunde kochen lassen. Das Backobst in etwas Wasser einweichen. Die Möhren und die Sellerieknolle schälen, waschen und in Würfel schneiden. Die Lauchstangen putzen, waschen und in Ringe schneiden. Die Petersilie gründlich waschen, trockenschütteln und fein hacken. Den Aal abziehen und in mundgerechte Stücke schneiden.

Zubereitung

Das Gemüse in die Fleischbrühe geben und gar kochen. Den Schinkenknochen herausnehmen, das Fleisch vom Knochen ablösen und zurück in die Brühe geben. Das Backobst mit dem Einweichwasser dazugeben. Aus der Butter und dem Mehl einen glatten Kloß kneten und damit die Brühe sämig rühren. Mit Essig, Zucker und Salz abschmecken. Die Aalstücke und die Petersilie (etwas beiseite stellen) in die Suppe geben und bei mittlerer Hitze etwa 20 Minuten ziehen lassen.

Servieren

Die Hamburger Aalsuppe in tiefe Teller füllen und mit der restlichen Petersilie bestreut servieren.

Merkzettel

Lassen Sie den Aal vom Fischhändler ausnehmen, denn die Galle darf nicht verletzt werden. Der Fisch schmeckt sonst sehr bitter.

Hamburger saure Suppe

Für 4–6 Personen
Zubereitungszeit: 45 Minuten
Kochzeit: ca. 1¾ Stunden

Einkaufsliste/Zutaten

1 Schinkenknochen
250 g Backpflaumen
250 g getrocknete Birnen
3 Möhren
1 Petersilienwurzel
1 Bund fein gehackte Kräuter
(Majoran, Thymian, Estragon, Petersilie, Bohnenkraut)
Salz
500 g Erbsen (tiefgekühlt)
Saft von 1 Zitrone
Zucker

Für die Klöße

250 g Mehl
2 El Öl oder flüssige Butter
Salz

Garnierung

Frisches Weißbrot

Vorküche

Den Schinkenknochen in einen Topf mit 2–3 l kochendem Wasser geben und etwa 1–1½ Stunden kochen. Das Backobst in etwas Wasser einweichen lassen, danach in feine Streifen schneiden. Die Möhren schälen, waschen und fein würfeln. Die Petersilienwurzel putzen und klein schneiden. Die Kräuter waschen, trockenschütteln und fein hacken.

Zubereitung

Das Backobst und die Möhren zu dem Schinkenknochen geben und in etwa 10 Minuten gar kochen. Den Schinkenknochen herausnehmen, das Fleisch vom Knochen lösen, klein schneiden und zurück in die Suppe geben. Mit Salz würzen. Für die Klöße Mehl, Öl oder Butter und Salz in die Schüssel geben. Etwa 250 ml sprudelnd kochendes Wasser dazugeben und schnell zu einem dicken Teig verrühren. Mit zwei Teelöffeln Klöße abstechen und in die Suppe geben. Die Petersilienwurzel, die Kräuter und die Erbsen dazugeben und bei geringer Hitze etwa 10 Minuten garen lassen. Anschließend mit Zitronensaft und Zucker süßsauer abschmecken.

Servieren

Die Hamburger saure Suppe in tiefe Teller füllen und mit frischem Weißbrot servieren.

Merkzettel

Sie können anstatt der getrockneten Birnen auch Aprikosen nehmen, dadurch erhält die Suppe mehr Farbe.

Hausgemachte Gulaschsuppe

Für 4 Personen
Zubereitungszeit: 30 Minuten
Koch- & Bratzeit: 1 Stunde

Einkaufsliste/Zutaten

500 g Schweinebauch
2 Tl Bratfett
3 Zwiebeln
2 rote Paprikaschoten
2 grüne Paprikaschoten
4 Tomaten
2 Knoblauchzehen
1,5 l Fleischbrühe
1 Tl Thymian
1 Lorbeerblatt
2 El Paprikapulver
Salz
Schwarzer Pfeffer aus der Mühle
Zucker
250 ml saure Sahne

Garnierung

2 El saure Sahne

Vorküche

Das Schweinefleisch gründlich abwaschen, abtrocknen, in nicht zu große Würfel schneiden, das Fett erhitzen und das Fleisch in einem offenen Topf von allen Seiten kräftig anbraten. Die Zwiebeln schälen, klein hacken, die Paprikaschoten putzen und in Streifen schneiden. Die Tomaten kreuzweise einschneiden, mit heißem Wasser überbrühen, die Haut abziehen und das Tomatenfleisch klein schneiden. Die Knoblauchzehen pellen und fein hacken.

Zubereitung

Zwiebeln, Paprikastreifen, Tomaten und Knoblauch zu dem Fleisch geben und unter Rühren braun werden lassen. Die Fleischbrühe angießen, Thymian, Lorbeerblatt und Paprikapulver zugeben. Das Ganze mit Salz, Pfeffer und 1 Prise Zucker abschmecken. Die Suppe bei kleiner Hitze 45 Minuten garen lassen. Kurz vor Ende der Garzeit die saure Sahne einrühren, 2 El aber beiseite stellen.

Servieren

Die Suppe noch einmal kurz aufkochen lassen, in eine vorgewärmte Suppenschüssel geben und mit der sauren Sahne garnieren. Noch heiß zu Tisch bringen.

Merkzettel

Paprikapulver darf nicht mit angebraten werden, da es sonst bitter wird.

Heidelbeersuppe

Für 4 Personen
Zubereitungszeit: 10 Minuten
Kochzeit: 15 Minuten

Einkaufsliste/Zutaten

1 kg Heidelbeeren
1 Zimtstange
3 El Butter
5 El Zucker
2 El Kartoffelmehl

Garnierung

4 Scheiben Zwieback

Vorküche

Die Heidelbeeren unter fließendem Wasser gründlich waschen und verlesen. Mit der Zimtstange in einen Topf geben, mit Wasser bedecken und weich kochen.

Zubereitung

Das Wasser abgießen und die Beeren durch ein Sieb streichen. Butter und Zucker zugeben, nochmals kurz aufkochen lassen und das Kartoffelmehl unterziehen.

Servieren

Die heiße Suppe auf Suppenteller verteilen und jeweils mit einer Scheibe Zwieback reichen.

Merkzettel

Aus Heidelbeeren lassen sich auch schmackhafte Marmeladen und Kompotte herstellen, die ideal zu Wildgerichten passen.

Holundersuppe

Für 4 Personen
Zubereitungszeit: 10 Minuten
Kochzeit: 15 Minuten

Einkaufsliste/Zutaten

500 g Holunderbeeren
100 g Zucker
1 Päckchen Vanillinzucker
1 Prise Salz
2 säuerliche Äpfel
1 El Kartoffelmehl

Garnierung

Steif geschlagene süße Sahne

Vorküche

Die Holunderbeeren von den Rispen zupfen und sorgfältig waschen. 1 l Wasser mit dem Zucker, dem Vanillinzucker und dem Salz zum Kochen bringen, die Holunderbeeren zugeben und 10 Minuten köcheln lassen.

Zubereitung

Die Suppe durch ein Sieb passieren. Die Äpfel schälen, vierteln, die Kerngehäuse entfernen und in der Suppe bissfest garen. Das Kartoffelmehl mit etwas Wasser verrühren und die Suppe damit binden. Die Suppe abschmecken und eventuell nochmals mit Zucker nachwürzen.

Servieren

Die Suppe in vorgewärmte Suppenteller geben und jeweils mit einem Klecks Sahne versehen.

Merkzettel

Aus den Holunderblüten kann man »Fliedertee« herstellen, der gut gegen Erkältung wirkt.

K

Kaninchenfond

Ergibt ca. 1 l Fond
Zubereitungszeit: 30 Minuten
Kochzeit: 2–3 Stunden

Einkaufsliste/Zutaten

1 kg Kaninchenknochen
und Fleischabschnitte (mit Kopf)
2 Möhren
1 Stange Lauch
2 Zwiebeln
3 Knoblauchzehen
100 g Sellerie
4 El Öl
1 El Tomatenmark
100 ml Portwein
500 ml Rotwein
3 Lorbeerblätter
2 Zweige Thymian
1 El Wacholderbeeren
3 Nelken
1 El schwarze Pfefferkörner

Vorküche

Kaninchenknochen unter fließendem Wasser von Knochensplittern befreien. Fleischabschnitte auf Tierhaare hin begutachten, ebenfalls waschen. Möhren, Lauch, Zwiebeln, Knoblauch und Sellerie schälen und grob würfeln.

Zubereitung

Öl im Bräter oder in einer großen Kasserolle erhitzen. Knochen, Fleischabschnitte und Kopf hineingeben und im vorgeheizten Backofen bei 225 °C goldbraun anrösten. Zwischendurch immer wieder wenden, damit nichts anbrennt. Das vorbereitete Gemüse dazugeben und 5 Minuten mitbraten. Bräter aus dem Ofen nehmen und den Inhalt mit einem Schaumlöffel in einen großen Suppentopf füllen. So verbleibt überschüssiges Fett im Bräter. Das Tomatenmark zugeben und auf dem Herd bei hoher Temperatur anrösten. Mit Portwein und Rotwein ablöschen und die Flüssigkeit komplett einkochen lassen. Mit 1,5–2 l kaltem Wasser aufgießen. Bei starker Hitze aufkochen und etwa 10 Minuten köcheln. Dabei immer wieder den sich bildenden Schaum mit der Schaumkelle abschöpfen. Alle Gewürze zufügen und im offenen Topf bei milder Hitze 2 Stunden köcheln lassen. Dabei entstehenden Schaum immer wieder abschäumen. Nach der Kochzeit den Topfinhalt durch ein Sieb gießen, den aufgefangenen Fond wieder in den Topf füllen und offen bei kleiner Hitze die Flüssigkeit bis auf 1 l einkochen lassen. So wird der Fond besonders intensiv und aromatisch. Zum Entfetten abkühlen und die oben schwimmende Fettschicht abschöpfen. Damit wirklich alle Trübstoffe und Kleinstteilchen aus dem Fond entfernt werden, sollte er durch ein mit einem Mulltuch ausgelegtes Sieb gegossen werden.

Merkzettel

Für einen Knochenfond lassen sich alle Wildknochen verwenden. Die Knochen verschiedener Wildarten sollten jedoch möglichst nicht gemischt werden!

Käsesuppe mit Brotkrusteln

Für 4 Personen
Zubereitungszeit: 30 Minuten
Koch- & Bratzeit: 30 Minuten

Einkaufsliste/Zutaten

150 g Bergkäse
2 Scheiben Weißbrot
4 El Butter
6 El Mehl
1 Bund Petersilie
1 l Rinderbrühe
250 ml Sahne
Salz
Weißer Pfeffer aus der Mühle

Garnierung

Brotwürfel
Petersilienblättchen

Vorküche

Den Bergkäse auf der Küchenreibe reiben. Das Weißbrot würfeln und in 2 El Butter in der Pfanne kross braten. Die Petersilie waschen, trockenschleudern und fein hacken.

Zubereitung

Die restliche Butter in einem Topf erhitzen und das Mehl auf einmal dazugeben. Mit dem Schneebesen verrühren und etwas Farbe annehmen lassen. Nach und nach mit der Rinderbrühe aufgießen und aufkochen lassen. Unter ständigem Rühren esslöffelweise den Käse zufügen, damit es keine Klümpchen gibt. Die Sahne angießen und mit Salz und Pfeffer abschmecken.

Servieren

Die Käsesuppe in Suppentassen füllen, mit Brotwürfeln und Petersilie bestreuen.

Merkzettel

Die Käsesuppe kann auch mit Emmentaler oder Gruyère zubereitet werden.

Kastaniensuppe

Für 4 Personen
Zubereitungszeit: 25 Minuten
Koch- & Bratzeit: 45 Minuten

Einkaufsliste/Zutaten

300 g Kastanien
50 g Butter
2 Tl Puderzucker
1 Möhre
1 Stange Lauch
Salz
Weißer Pfeffer aus der Mühle
Muskatnuss
125 ml trockener Weißwein
500 ml Fleischbrühe
200 ml Sahne
Zimt

Garnierung

1 El Schnittlauchröllchen

Vorküche

Die Kastanien unter fließendem Wasser gründlich abwaschen, die äußere harte, dunkle Schale entfernen und in Wasser 10 Minuten abkochen. Danach in kaltem Wasser abkühlen lassen und die dünne braune Haut mit einem Küchentuch abreiben. Einige Kastanien beiseite legen und den Rest in kleine Stücke schneiden.

Zubereitung

Die Butter in einem Topf erhitzen, die Kastanien zugeben, mit Puderzucker bestreuen und alles leicht karamellisieren lassen. Die Möhre und das Lauch putzen, klein schneiden, zu den Kastanien geben und kurz andünsten. Mit Salz, Pfeffer und Muskatnuss würzen, mit dem Weißwein ablöschen und 15 Minuten köcheln lassen. Die Brühe angießen, die Sahne unterrühren und weitere 15 Minuten garen lassen. Danach die Suppe mit einem Handmixer fein pürieren und abschmecken.

Servieren

Die Suppe in vorgewärmte Suppenteller füllen, mit Zimt bestäuben, die beiseite gestellten, halbierten Kastanien zugeben und mit einigen Schnittlauchröllchen bestreuen. Noch heiß servieren.

Merkzettel

Kastanien heißen in der Pfalz »Keschte« und werden in der kalten Jahreszeit gerne geröstet als kleiner Imbiss angeboten.

Kerbelsuppe

Für 4 Personen
Zubereitungszeit: 10 Minuten
Koch- & Bratzeit: 15 Minuten

Einkaufsliste/Zutaten

1 Zwiebel
2 Bund Kerbel
1 große Kartoffel
50 g Butter
2 Tl Mehl
1 l Gemüsebrühe
2 Eigelb
250 ml süße Sahne
Salz
Weißer Pfeffer

Garnierung

Etwas gehackter Kerbel

Vorküche

Die Zwiebel in Würfel schneiden, den Kerbel kurz waschen und fein hacken. Die Kartoffel schälen.

Zubereitung

Die Zwiebel in der Butter glasig dünsten, den Kerbel zugeben und über eine Feinreibe die Kartoffel direkt in den Topf reiben. Alles kurz erhitzen. Das Mehl darüber streuen, durchschwitzen lassen und mit der heißen Gemüsebrühe ablöschen. Zugedeckt bei kleiner Hitze ca. 10 Minuten garen. Die Eigelbe mit der Sahne verquirlen und die Suppe legieren. Mit Salz und Pfeffer abschmecken.

Servieren

Den beiseite gestellten Kerbel über die Suppe streuen und sofort heiß servieren.

Merkzettel

Nach dem Legieren mit Sahne und Eigelb darf die Suppe nicht mehr aufkochen, da das Eigelb sonst gerinnen kann.

Klare Fleischsuppe – Grundrezept –

Für 4 Personen
Zubereitungszeit: 40 Minuten
Kochzeit: 1½ Stunden

Einkaufsliste/Zutaten

800 g Beinscheibe vom Rind
1 Stange Lauch
2 Möhren
200 g Knollensellerie
1 Bund Petersilie
1 Zwiebel
2 Lorbeerblätter
1 Tl Salz
1 Tl schwarze Pfefferkörner

Garnierung

Gehackte Petersilie

Vorküche

Die Beinscheibe abwaschen, Lauch, Möhren, Sellerie putzen, waschen und in grobe Stücke schneiden. Petersilienblätter waschen und hacken. Die Zwiebel nur an der Wurzel säubern.

Zubereitung

Alle Zutaten mit den Gewürzen in einen großen Topf geben. 1,5 l kaltes Wasser angießen, auf den Herd setzen und aufkochen lassen. Hitze reduzieren und 1½ Stunden leicht köcheln. Die Brühe durch ein Sieb gießen. Das Beinscheibenfleisch in kleine Stücke schneiden und wieder in die Brühe geben. Mit Pfeffer und Salz abschmecken.

Servieren

Zum Servieren die Suppe in Suppenteller füllen und mit Petersilie bestreuen.

Merkzettel

Diese Fleischbrühe ist die Grundsubstanz für die nachfolgenden Rezepte. Dort wird sie allerdings ohne das Beinfleisch verwendet.

Klare Waldpilzsuppe

Für 4 Personen
Zubereitungszeit: 20 Minuten
Brat- & Kochzeit: 15 Minuten

Einkaufsliste/Zutaten

300 g gemischte frische Pilze
(Pfifferlinge, Champignons, Egerlinge, Steinpilze)
2 Frühlingszwiebeln
1 El Butter
Salz
Schwarzer Pfeffer aus der Mühle
Frisch geriebene Muskatnuss
500 ml Kaninchenfond

Garnierung

Petersilienblättchen

Vorküche

Die Pilze mit einem Bürstchen abbürsten und in feine Scheiben schneiden. Frühlingszwiebeln waschen, putzen und in feine Ringe schneiden.

Zubereitung

Die Butter in einem Topf schmelzen. Darin die Zwiebelringe andünsten, bis sie weich sind. Pilze zufügen und unterrühren. Mit Salz, Pfeffer und Muskatnuss würzen und den Kaninchenfond angießen. 10 Minuten auf kleiner Flamme köcheln lassen.

Servieren

Die Waldpilzsuppe in kleine Suppentassen füllen und mit Petersilienblättchen bestreut servieren.

Merkzettel

Natürlich kann diese Suppe auch mit einem gekauften Wildfond hergestellt werden. Da dieser aber meist gesalzen ist, muss man bei der Salzzugabe vorsichtig sein.

Knoblauchsuppe

Für 4 Personen
Zubereitungszeit: ca. 15 Minuten
Kochzeit: 30 Minuten

Einkaufsliste/Zutaten

2 Scheiben Weißbrot
1 El Butter
5 Knoblauchzehen
4 El Mehl
1 El Butterschmalz
750 ml Fleischbrühe
Salz
Weißer Pfeffer aus der Mühle
250 ml Milch
4 El Schlagsahne
2 El Öl

Garnierung

Schnittlauch

Vorküche

Das Weißbrot in kleine Würfel schneiden und in der Butter goldbraun anrösten. Die Knoblauchzehen pellen und durch die Knoblauchpresse drücken. Schnittlauch waschen, trockenschütteln und in Röllchen schneiden.

Zubereitung

Das Mehl in einem Topf mit heißem Butterschmalz kurz anrösten, den Knoblauch dazugeben und die Fleischbrühe zugießen.
Kurz aufkochen lassen und mit Salz und Pfeffer würzen. Die Milch dazugeben und alles bei geringer Hitze etwa 30 Minuten ziehen lassen. Anschließend mit Sahne verfeinern und nochmals mit Pfeffer abschmecken. Die Weißbrotwürfel im Öl leicht anrösten.

Servieren

Die Knoblauchsuppe in Suppentassen füllen und mit den Brotwürfeln und den Schnittlauchröllchen bestreut servieren.

Merkzettel

Sie können diese Suppe auch mit Möhren und Sellerie zubereiten. Dann muss die Suppe aber durch ein Sieb passiert werden.

Krabbensuppe

Für 4 Personen
Zubereitungszeit: 15 Minuten
Koch- & Bratzeit: 35 Minuten

Einkaufsliste/Zutaten

750 g Kartoffeln
1 Bund Suppengrün
1 Bund Petersilie
125–150 g Speck
Salz
40 g Butter oder
125 ml süße Sahne
180 g frische Nordseekrabben

Garnierung

Petersilienblättchen

Vorküche

Die Kartoffeln schälen und in Stücke schneiden. Das Suppengrün putzen, waschen und klein schneiden. Die Petersilie gründlich waschen, trockenschütteln und fein hacken. Den Speck in feine Würfel schneiden.

Zubereitung

Die Kartoffeln und das Suppengemüse in einem Topf mit Salzwasser etwa 25 Minuten gar kochen. Nun das Ganze durch ein Sieb streichen, mit Salz und Butter bzw. Sahne abschmecken. Die Petersilie (etwas Petersilie beiseite stellen) dazugeben. Den Speck kurz anbraten, abschließend mit den Krabben der Suppe beifügen und kurz ziehen lassen.

Servieren

Die Krabbensuppe in tiefe Teller füllen, mit der restlichen Petersilie bestreuen und mit frischem Weißbrot servieren.

Merkzettel

Feinschmecker ersetzen die Nordseekrabben durch Süßwassergarnelen.

Krautsuppe

Für 4 Personen
Zubereitungszeit: ca. 25 Minuten (ohne Wartezeit)
Kochzeit: 20 Minuten

Einkaufsliste/Zutaten

1 mittelgroßer Weißkohl (etwa 800 g)
Salz
500 g Tomaten
1 El Butterschmalz
1,5 l Gemüsebrühe
Schwarzer Pfeffer aus der Mühle
Muskatnuss
1 El Mehl
250 ml saure Sahne

Vorküche

Den Weißkohl halbieren, den Strunk herausschneiden, den Kohl in feine Streifen schneiden und waschen. Mit Salz bestreuen und nach einer halben Stunde ausdrücken. Die Tomaten heiß überbrühen, häuten, das Kerngehäuse entfernen und das Fruchtfleisch in Stücke schneiden.

Zubereitung

In einem großen Topf das Butterschmalz zerlassen und das Kraut darin unter ständigem Rühren andünsten. Mit der Brühe ablöschen. Die Tomatenstücke dazugeben und mit Salz, Pfeffer und Muskatnuss würzen. Alles etwa 20 Minuten bei geringer Hitze köcheln lassen. Abschließend das Mehl mit der sauren Sahne vermischen, in die Suppe geben und verrühren.

Servieren

Die Krautsuppe in eine Suppenterrine füllen und heiß servieren.

Merkzettel

Unter Zugabe von geräuchertem Speck oder gerauchtem Schweinefleisch wird die Suppe noch würziger.

Kürbiscremesuppe

Für 4 Personen
Zubereitungszeit: 1 Stunde
Kochzeit: 2 Stunden

Einkaufsliste/Zutaten

1 Bund Suppengrün
2 Zwiebeln
1 Poularde
2 Gewürznelken
2 Lorbeerblätter
Salz
1 kg Kürbisfleisch
1 Stange Lauch
200 ml Sahne
2 El Butter
Schwarzer Pfeffer aus der Mühle

Garnierung

Kerbelblättchen

Vorküche

Das Suppengrün putzen und grob zerkleinern. Eine Zwiebel mit Schale halbieren und in einer heißen, trockenen Pfanne auf den Schnittflächen anrösten. Die Poularde waschen, zusammen mit dem Suppengrün, der gerösteten Zwiebel, Gewürznelken, Lorbeerblättern und Salz in einen großen Topf geben und so viel Wasser angießen, dass alles bedeckt ist. Zum Kochen bringen und 1½ Stunden leicht köcheln lassen. In dieser Zeit den Kürbis teilen, entkernen, schälen und grob würfeln. Die übrige Zwiebel schälen und würfeln. Den Lauch putzen und in Ringe schneiden.
Die Sahne halb fest schlagen.

Zubereitung

Die Butter in einem Topf zerlassen und darin den Kürbis, die Zwiebel und den Lauch andünsten. Von der Poulardenbrühe 1 Liter abnehmen und damit das Gemüse aufgießen. 20 Minuten köcheln lassen. Die Poularde von Haut und Knochen lösen und das Brustfleisch in Streifen schneiden. Mit einem Stabmixer das Gemüse pürieren und herzhaft mit Salz und Pfeffer abschmecken. Nun die halb steif geschlagene Sahne unter die Suppe ziehen.

Servieren

Servieren Sie die Kürbiscremesuppe mit aufgeschnittener Poulardenbrust und einigen Kerbelblättchen bestreut.

L

Laucheintopf

Für 4 Personen
Zubereitungszeit: 20 Minuten
Koch- & Bratzeit: 30 Minuten

Einkaufsliste/Zutaten

750 g Lauch
6 große Kartoffeln
1 Zwiebel
40 g Margarine
750 ml Fleischbrühe
Salz
Weißer Pfeffer aus der Mühle
Muskatnuss
300 g Fleischwurst

Garnierung

4 geröstete Weißbrotscheiben

Vorküche

Den Lauch putzen, die dicken grünen Blätter entfernen, alles in Ringe schneiden, waschen und abtropfen lassen. Die Kartoffeln waschen, schälen und in Würfel schneiden. Die Zwiebel schälen und würfeln.

Zubereitung

Das Fett in einem Topf erhitzen und die Zwiebelstücke glasig andüsten. Lauchringe und Kartoffeln zugeben und ebenfalls anschwitzen. Die Fleischbrühe angießen und mit Salz, Pfeffer und Muskatnuss würzen. Die Suppe bei mäßiger Hitze etwa 25 Minuten köcheln lassen. In der Zwischenzeit die Fleischwurst mit einer Gabel mehrmals einstechen und 10 Minuten vor Ende der Garzeit in der Suppe erwärmen.

Servieren

Die Wurst herausnehmen in Scheiben schneiden, auf vorgewärmte Suppenteller geben, mit der Suppe übergießen und mit den gerösteten Weißbrotscheiben servieren.

Merkzettel

Lauch muss besonders sorgfältig gewaschen werden, da sich zwischen den einzelnen Blattlagen gerne Sand absetzt.

Leberknödelsuppe

Für 4 Personen
Zubereitungszeit: 40 Minuten (ohne Wartezeit)
Kochzeit: 20 Minuten

Einkaufsliste/Zutaten

100 g Rinderleber
1 kleine Zwiebel
4 El Butter
2 mittelgroße Eier
8 El Paniermehl
½ Tl Salz
1 Bund Petersilie
1 Tl getrockneter Majoran
Muskatnuss

Garnierung

Frische Majoranblättchen

Vorküche

Die Leber waschen und von allen Häutchen befreien. Die Zwiebel schälen und grob hacken. Beides durch die feine Scheibe des Fleischwolfs drehen. Butter und Eier schaumig schlagen, mit dem Paniermehl und allen Gewürzen vermischen. Die durchgedrehte Leber-Zwiebel-Masse dazugeben und zu einem festen Teig rühren. Wenn der Teig zu flüssig ist, noch etwas Paniermehl zufügen. Den Teig mindestens 1 Stunde quellen lassen. Salzwasser zum Kochen bringen. Rinderbrühe erhitzen.

Zubereitung

Hände und einen Teelöffel anfeuchten und aus dem Teig etwa walnussgroße Knödelchen formen. Ins kochende Salzwasser geben, die Hitze reduzieren und etwa 15 Minuten sieden lassen.

Servieren

Zum Servieren die Leberknödelchen in Suppentassen geben, mit der heißen Rinderbrühe aufgießen und mit Majoranblättchen verziert zu Tisch bringen.

Merkzettel

Achten Sie beim Einkauf darauf, dass die Leber ganz frisch ist.

Leberwurst-Brot-Suppe

Für 4 Personen
Zubereitungszeit: 15 Minuten
Koch- & Bratzeit: 25 Minuten

Einkaufsliste/Zutaten

300 g Schwarzbrot
250 g Thüringer Hausmacher-Leberwurst
1 Zwiebel
1 Lauchstange
1 Möhre
¼ Sellerieknolle
1 Knoblauchzehe
2 El Butterschmalz
Salz
1,25 l Brühe
1 El Majoran
Schwarzer Pfeffer aus der Mühle

Garnierung

1 Bund fein gehackte Petersilie

Vorküche

Das Brot in kleine Würfel schneiden. Die Leberwurst vom Darm befreien und klein schneiden. Die Zwiebel schälen und in feine Ringe schneiden. Die Lauchstange von den äußeren Blättern befreien, waschen und in feine Ringe schneiden. Möhre und Sellerie ebenfalls schälen und in kleine Stücke schneiden. Die Knoblauchzehe pellen und pressen.

Zubereitung

In heißem Butterschmalz Zwiebel, Lauch, Möhre und Sellerie anschwitzen. Mit Knoblauch und etwas Salz würzen. Das Schwarzbrot sowie die Leberwurst dazugeben, mit Brühe auffüllen und etwa 20 Minuten köcheln lassen. Dabei ab und zu umrühren. Mit Majoran und Pfeffer abschmecken und gegebenenfalls nachsalzen.

Servieren

Die Suppe in Suppentassen füllen und mit reichlich Petersilie bestreuen. Mit einem dunklen Bier und einem Korn servieren.

Merkzettel

Durch die Zugabe von 250 g Hausmacher-Blutwurst wird diese Suppe noch schmackhafter.

Leipziger Allerlei

Für 4 Personen
Zubereitungszeit: 20 Minuten
Kochzeit: 45 Minuten

Einkaufsliste/Zutaten

1 Blumenkohl
Salz
250 ml Milch
200 g Prinzessbohnen
200 g Möhren
200 g Spargel
200 g Morcheln
200 g Butter
Salz
Weißer Pfeffer aus der Mühle
1 El Zucker
60 g Krebsbutter

Garnierung

2 Tl gehackte Petersilie

Vorküche

Den Blumenkohl in Röschen teilen und gründlich waschen. Genügend Salzwasser in einem Topf erhitzen, die Milch zugießen, aufkochen lassen und die Blumenkohlröschen darin für etwa 10 Minuten köcheln lassen. Bohnen, Möhren, Spargel und Morcheln waschen und putzen. Die Morcheln kurz mit heißem Wasser überbrühen, Bohnen und Spargel in Stücke, die Morcheln und die Möhren in feine Scheiben schneiden. Die Morchelscheiben 5–10 Minuten in einem Viertel der Butter andünsten, salzen und pfeffern.

Zubereitung

Das Gemüse sortenweise in kochendem Salzwasser mit 1 Prise Zucker knackig garen, anschließend mit kaltem Wasser abschrecken. Das Gemüse, außer den Morcheln, in der restlichen Butter schwenken und nochmals mit Salz und Pfeffer abschmecken. Auf einer vorgewärmten Platte anrichten und die Morcheln darauf verteilen. Die Krebsbutter zerlassen und über das Gemüse geben.

Servieren

Das Ganze mit der Petersilie bestreuen. Besonders gut schmeckt Leipziger Allerlei zu Flusskrebsen.

Merkzettel

Leipziger Allerlei ist wegen seiner exquisiten Zutaten ein ideales Festessen.

Linseneintopf mit Rippli

Für 4 Personen
Zubereitungszeit: 20 Minuten
Kochzeit: 45 Minuten

Einkaufsliste/Zutaten

200 g geräucherte Schweinerippe
3 Knoblauchzehen
2 Zwiebeln
1 Stange Lauch
1 Möhre
¼ Sellerieknolle
1 El Butter
250 g braune Linsen
1 Dose geschälte Tomaten
125 ml Weißwein
1 Bouillonwürfel
1 Lorbeerblatt
2 Gewürznelken
1 Prise Cayennepfeffer
1 Prise Curry
Salz
Schwarzer Pfeffer aus der Mühle
500 g Kartoffeln
1 Apfel

Garnierung

2 El Balsamico

Vorküche

Die Schweinerippe (Rippli) in einen Topf mit Wasser geben und etwa 10 Minuten köcheln lassen. Das Wasser abgießen. Das Gemüse putzen, würfeln und in der Butter kurz anschwitzen. Die abgetropften Linsen zugeben, ebenfalls anschwitzen und die Tomaten zugeben.

Zubereitung

Mit Wein und 125 ml Wasser ablöschen. Bouillonwürfel, Lorbeerblatt und Gewürznelken zugeben und mit je einer Prise Cayennepfeffer, Curry, Salz und Pfeffer würzen.

Die Rippli obenauf legen und mit geschlossenem Deckel 15 Minuten köcheln lassen. Hin und wieder umrühren und gegebenenfalls etwas Flüssigkeit nachgeben.

In der Zwischenzeit die Kartoffeln waschen, schälen, in Würfel schneiden und nach 15 Minuten unter die Linsen mischen. Alles nochmals 15 Minuten garen lassen.

Den Apfel schälen, das Kerngehäuse entfernen und den Rest in Würfel schneiden. Kurz vor Ende der Garzeit in den Eintopf geben und mit Salz und Pfeffer abschmecken.

Servieren

Die Suppe in vorgewärmte Suppenteller geben und mit einem Schuss Balsamico abrunden.

Merkzettel

Das Aroma des bis zu 30 Jahren in Eichenfässern gelagerten Balsamico ist leicht süß und nussig-würzig. Wer mag, kann auch zusätzlich noch eine Prise Zucker zugeben.

M

Minestrone

Für 4 Personen
Zubereitungszeit: 30 Minuten
Kochzeit: 1 Stunde

Einkaufsliste/Zutaten

1 Zwiebel
2 Knoblauchzehen
1 Bund Petersilie
1 Bund Basilikum
1 Zweig Oregano
2 Möhren
¼ Sellerieknolle
50 g Weißkohl
50 g grüne Erbsen
50 g Kartoffeln
50 g Tomaten
30 g Speck
20 g Butter
50 g frische weiße Bohnen
50 g grüne Bohnen
Salz
Weißer Pfeffer aus der Mühle
50 g Nudeln

Garnierung

Etwas Petersilie
Geriebener Parmesankäse

Vorküche

Zwiebel und Knoblauchzehen schälen und fein hacken. Kräuter waschen, abtrocknen und klein hacken. Das Gemüse putzen und zerkleinern. Den Speck in Butter andünsten, bis er glasig geworden ist.

Zubereitung

Die Zwiebel, Knoblauch und Kräuter zugeben und anschwitzen, bis sich das volle Aroma entfaltet hat. 500 ml kochend heißes Wasser angießen und die Bohnen zugeben. Nach und nach das übrige geputzte und zerkleinerte Gemüse zugeben, salzen und pfeffern.
Alles etwa 30 Minuten köcheln lassen. Dann die Nudeln zugeben und alles nochmals 20 Minuten garen.

Servieren

Vor dem Auftragen Petersilie darüber streuen und bei Tisch nach Belieben Parmesankäse in die Suppe geben.

Merkzettel

Die Qualität einer guten Minestrone ist von der Frische der Zutaten abhängig. Unabdingbar sind jedoch die Nudeln, die in keiner Minestrone fehlen dürfen.

Möhreneintopf mit frischer Bratwurst

Für 4 Personen
Zubereitungszeit: 30 Minuten
Kochzeit: 30 Minuten

Einkaufsliste/Zutaten

750 g Möhren
500 g Kartoffeln
4 frische grobe Bratwürste
100 ml Sahne
3 El Butter
1 Prise Zucker
Salz
Weißer Pfeffer aus der Mühle
Frisch geriebene Muskatnuss

Garnierung

Frisch gemahlener Pfeffer

Vorküche

Möhren und Kartoffeln schälen und in Stücke schneiden.

Zubereitung

Die Möhren mit Salzwasser bedeckt zum Kochen bringen. Nach 10 Minuten die Kartoffeln dazugeben und weitere 20 Minuten garen. In dieser Zeit die grobe Bratwurst braten. Das Kochwasser abgießen und den Topf von der Flamme nehmen. Mit einem Kartoffelstampfer zerdrücken. Sahne und Butter zufügen und gut unterarbeiten. Jetzt mit der Prise Zucker, Salz, Pfeffer und frisch geriebener Muskatnuss herzhaft abschmecken.

Servieren

Servieren Sie das Möhrengemüse auf vorgewärmten Tellern und überstäuben Sie es mit etwas Pfeffer aus der Mühle. Reichen Sie die Bratwurst separat dazu. Scharfer Senf und ein kaltes Bier sind natürlich ein Muss.

Merkzettel

Wenn Sie Bundmöhren gekauft haben, entfernen Sie das Grün, sobald Sie zu Hause sind. Es sieht zwar schön aus, aber es laugt die Möhren aus.

O

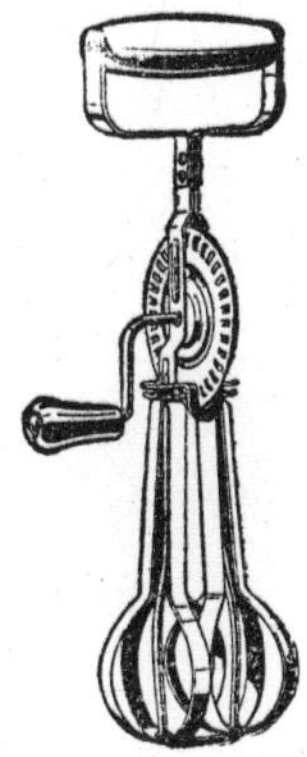

Ochsenschwanzsuppe

Für 4 Personen
Zubereitungszeit: 20 Minuten
Koch- & Bratzeit: 2½ Stunden

Einkaufsliste/Zutaten

500 g in Stücke gehackter Ochsenschwanz
¼ Sellerieknolle
80 g Bratfett
1 gehackte Zwiebel
1 Tl Pfefferkörner
1 Lorbeerblatt
Salz
Weißer Pfeffer aus der Mühle
30 g Mehl
125 ml Rotwein

Garnierung

Käsegebäck

Vorküche

Die Ochsenschwanzstücke waschen und trocknen. Den Sellerie putzen und in kleine Würfel schneiden.

Zubereitung

Die Hälfte des Fettes erhitzen und die Ochsenschwanzstücke mit den Zwiebelwürfeln und dem Sellerie kräftig anbraten. 1,5 l heißes Wasser angießen, Pfefferkörner, Lorbeerblatt und Salz zugeben. Im geschlossenen Topf etwa 2 Stunden garen. Die Suppe durch ein Sieb passieren und die Fleischstücke warm stellen. Das restliche Fett erhitzen, das Mehl einrühren, leicht anbräunen lassen und mit der Brühe unter Rühren ablöschen. Das Fleisch von den Knochen lösen, in kleine Würfel schneiden, zu der Brühe geben und nochmals kurz erwärmen. Die Suppe abschmecken und den Rotwein zur Verfeinerung zugießen.

Servieren

Die Suppe in Suppentassen verteilen und mit etwas Käsegebäck noch heiß zu Tisch bringen.

Merkzettel

Ochsenschwanzsuppe ist ein Küchenklassiker und wird als klare oder auch gebundene Suppe zubereitet.

P

Paradeissuppe

(Tomatensuppe)

Für 4 Personen
Zubereitungszeit: ca. 45 Minuten
Kochzeit: 15 Minuten

Einkaufsliste/Zutaten

800 g Tomaten
5 El Reis
Salz
1 Petersilienwurzel
2 Möhren
¼ Sellerieknolle
1 Zwiebel
50 g Butter
4 El Mehl
1 Lorbeerblatt
1 El Zucker
Etwas Zitronensaft

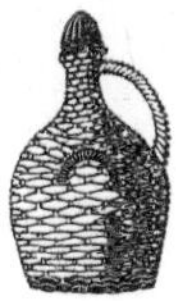

Vorküche

Die Tomaten waschen, heiß überbrühen und häuten. Halbieren, den Strunk entfernen und in 500 ml Wasser weich kochen. Mit dem Pürierstab pürieren. Den Reis in Salzwasser gar kochen. Petersilienwurzel, Möhren, Sellerieknolle und Zwiebel schälen und in kleine Stücke schneiden.

Zubereitung

In einem Topf die Butter erhitzen und das Gemüse darin andünsten. Mehl mit etwas Tomatenbrühe glatt rühren und mit dem Gemüse zu den pürierten Tomaten geben. Lorbeerblatt, Zucker und Zitronensaft dazugeben und alles etwa 15 Minuten bei mittlerer Hitze köcheln lassen. Die Suppe durch ein Sieb passieren und zuletzt den Reis dazugeben.

Servieren

Die Paradeissuppe in Suppentassen füllen und heiß servieren.

Merkzettel

Die Tomatensuppe können Sie auch mit einem Klecks Schlagsahne garnieren.

Pfälzer Weinsuppe

Für 4 Personen
Zubereitungszeit: 15 Minuten
Kochzeit: 15 Minuten

Einkaufsliste/Zutaten

50 g Zucker
¼ Schale von 1 unbehandelten Zitrone
⅓ Zimtstange
30 g Speisestärke
500 ml Weißwein
2 Eigelb
125 ml Sahne

Garnierung

Einige Weintrauben

Vorküche

750 ml Wasser mit dem Zucker, der Zitronenschale und dem Zimt in einem Topf zum Kochen bringen.

Zubereitung

Die Speisestärke mit etwas Wasser glatt rühren, in die kochende Flüssigkeit einrühren, aufkochen lassen und den Wein einrühren. Die Eigelbe mit der Sahne in etwas Suppe verquirlen, in die Suppe geben und vorsichtig unterrühren. Nochmals erhitzen, aber nicht mehr kochen lassen.

Servieren

Die Weinsuppe in vorgewärmte Teller portionieren und mit Weintrauben garniert servieren.

Merkzettel

Die Weinsuppe kann mit einer Scheibe Brot als Abendessen gereicht werden, aber sie schmeckt auch als Kaltschale an heißen Sommertagen.

Pilzsuppe mit Kaninchenfleisch

Für 4 Personen
Zubereitungszeit: 30 Minuten
Brat- & Kochzeit: ca. 1 Stunde

Einkaufsliste/Zutaten

5 Knoblauchzehen
1 Bund Petersilie
1 Bund Basilikum
4 Fleischtomaten
1 kg braune Champignons
80 g Pecorino
6 El Olivenöl extra vergine
500 g Kaninchenklein
6 Eier
200 ml Sahne
4 Scheiben Weißbrot

Garnierung

Basilikumblättchen

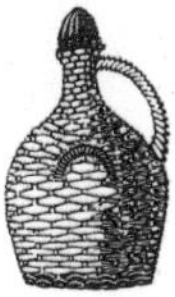

Vorküche

Knoblauch schälen und 4 Stück hacken. Petersilie und Basilikum waschen, trocknen und fein wiegen. Fleischtomaten mit kochendem Wasser überbrühen, häuten, Stielansatz entfernen und grob zerteilen. Champignons mit einem Bürstchen abbürsten und in Stücke schneiden. Den Käse reiben.

Zubereitung

Die Hälfte vom Olivenöl in einer Pfanne erhitzen und die Kaninchenteile darin scharf anbraten. In einem Topf 250 ml Wasser zum Kochen bringen und die Kaninchenteile dort hineingeben. Im abgedeckten Topf 45 Minuten auf mittlerer Hitze kochen. In die schon benutzte Pfanne gibt man das restliche Öl und brät darin Knoblauch, Petersilie, Basilikum und die Tomatenstücke an. Die geputzten Pilze dazugeben und alles 10 Minuten schmoren lassen. Die Kaninchenteile aus dem Topf nehmen und von den Knochen lösen. Das Fleisch in kleine Würfel schneiden und in die Pfanne geben. Mit dem Pfanneninhalt gut vermischen und noch einmal erhitzen. In einer großen vorgewärmten Suppenterrine die 6 Eier mit der Sahne und dem geriebenen Käse verquirlen. Den Pfanneninhalt darüber geben und sofort gut durchrühren. Das Weißbrot in der Pfanne rösten und mit der letzten Knoblauchzehe einreiben.

Servieren

In jeden Suppenteller eine mit Knoblauch eingeriebene geröstete Weißbrotscheibe geben. Die Suppe darüber gießen. Mit einigen Basilikumblättchen garnieren.

Merkzettel

Dies ist ein altes bäuerliches Gericht aus der Toskana. Es ist sehr deftig, schmeckt aber wunderbar.

Pot-au-feu

Für 4 Personen
Zubereitungszeit: 15 Minuten
Kochzeit: 2½ Stunden

Einkaufsliste/Zutaten

1 in Streifen geschnittener Wirsingkohl
1 Zwiebel, gespickt mit 1 Lorbeerblatt und 5 Nelken
1 Knoblauchzehe
1 El Salz
1 kg durchwachsenes Rindfleisch
2 Markknochen
1 Tl Pfefferkörner
3 Möhren
¼ Sellerieknolle
1 Stange Lauch
500 g Kartoffeln

Garnierung

Einige Schnittlauchröllchen

Vorküche

Wirsingstreifen, Zwiebel und Knoblauchzehe in 3 l Salzwasser kurz aufkochen.

Zubereitung

Das Fleisch, die Markknochen und die Pfefferkörner zugeben. Alles etwa 2½ Stunden köcheln lassen, bis das Fleisch weich ist. In der Zwischenzeit die Möhren, den Sellerie und den Lauch putzen, in grobe Stücke schneiden und nach einer Stunde Garzeit zugeben. Die Kartoffeln waschen, schälen, würfeln und etwa 30 Minuten vor Ende der Garzeit mitköcheln lassen.

Servieren

Den Eintopf in eine Suppenterrine geben, mit Schnittlauchröllchen bestreuen und noch heiß zu Tisch bringen.

Merkzettel

Zusätzlich zum Rindfleisch können noch andere Fleischsorten wie Geflügel- oder Schweinefleisch mitgegart werden.

R

Reibesuppe

Für 4 Personen
Zubereitungszeit: 35 Minuten
Kochzeit: 50 Minuten

Einkaufsliste/Zutaten

2 Möhren
½ Sellerieknolle
1 Petersilienwurzel
1 Lauchstange
2 Zwiebeln
5 Kartoffeln
1 El Butter
1,5 l Fleischbrühe (Instant)
250 g magerer Speck
Salz
Pfeffer
Muskatnuss
1 Ei

Garnierung

1 El gehackte Petersilie

Vorküche

Möhren, Sellerie und Petersilienwurzel schälen, waschen und in nicht zu kleine Stücke schneiden. Den Lauch von den äußeren Blättern befreien und in Ringe schneiden. Die Zwiebeln schälen und würfeln. Die Kartoffeln schälen und waschen.

Zubereitung

Die Butter in einem großen Topf erhitzen, das Gemüse darin kurz andünsten und mit der heißen Brühe ablöschen. Den Speck am Stück dazugeben und alles etwa 40 Minuten bei mittlerer Hitze köcheln lassen. Dann die rohen Kartoffeln in die Suppe reiben und weitere 10 Minuten kochen. Abschließend mit Salz, Pfeffer und etwas Muskatnuss würzen. Den Speck aus der Suppe heben und in feine Scheiben schneiden. Das Ei aufschlagen, verquirlen, mit etwas Suppe verrühren und erst dann zum Legieren langsam in die Suppe rühren (das Ei flockt sonst aus).

Servieren

Die Reibesuppe in tiefe Teller füllen, die Speckscheiben darauf legen und mit der Petersilie bestreut servieren.

Merkzettel

Die Speckscheiben schmecken auch auf frischem Weißbrot mit scharfem Senf und – nach Belieben – mit feinen Zwiebelringen belegt.

Rindfleischsuppe mit Markklößchen

Für 4 Personen
Zubereitungszeit: 25 Minuten
Koch- & Bratzeit: 1¾ Stunden

Einkaufsliste/Zutaten

Für die Suppe

500 g Suppenfleisch vom Rind
300 g Rinderknochen
Salz
4 Pimentkörner
1 Bund Suppengrün
½ Zwiebel
1 Tomate
Salz
Weißer Pfeffer aus der Mühle
2 El gehackte, krause Petersilie

Für die Markklößchen

50 g Rindermark
80 g Paniermehl
1 Ei
Salz
Weißer Pfeffer aus der Mühle
Muskatnuss

Garnierung

1 El Schnittlauchröllchen

Vorküche

Das Fleisch und die Rinderknochen unter fließendem, kaltem Wasser gründlich abspülen. Das Suppengrün waschen, putzen und in grobe Stücke schneiden.

Zubereitung

1 l Wasser aufsetzen, salzen und die Pimentkörner zugeben. Das Fleisch und die Knochen in das kalte Wasser geben und alles eine Stunde leise köcheln lassen. Sich bildenden Schaum immer wieder entfernen. Nach einer Stunde das Suppengrün, die halbe Zwiebel und die Tomate zugeben und nochmals 30 Minuten garen lassen. Das Fleisch und die Knochen aus der Suppe nehmen und beiseite stellen. Die Suppe durch ein Sieb passieren, das ausgekochte Suppengrün entfernen. Das Fleisch von allen Fettanteilen befreien, in kleine Würfel schneiden, wieder in die Suppe zurückgeben, mit Salz und Pfeffer würzen und die gehackte Petersilie zugeben. Das Rindermark in einer Pfanne auslassen, Paniermehl und das Ei zugeben, alles gut miteinander mischen und mit Salz, Pfeffer und Muskatnuss abschmecken.
Mit angefeuchteten Händen kleine Klößchen formen und in siedendem Wasser gar ziehen lassen. Wenn die Markklößchen nach oben steigen, sind sie fertig und werden mit einem Schaumlöffel herausgenommen.

Servieren

Die Suppe in vorgewärmte Suppenteller geben, die Markklößchen darauf verteilen und mit den Schnittlauchröllchen bestreuen. Noch heiß servieren.

Merkzettel

Pimentkörner werden auch als Jamaikapfeffer bezeichnet, sind im Geschmack milder als schwarze Pfefferkörner und erinnern im Aroma mehr an Muskatnuss.

S

Sauerambelsuppe auf Pfälzer Art

Für 4 Personen
Zubereitungszeit: 30 Minuten
Koch- & Bratzeit: 15 Minuten

Einkaufsliste/Zutaten

250 g Sauerampfer
40 g Butter
40 g Mehl
1 l Fleischbrühe
125 ml saure Sahne
3 Eigelb
Salz
Zucker
Weißer Pfeffer aus der Mühle
2 hart gekochte Eier

Garnierung

2 Scheiben Weißbrot

Vorküche

Den Sauerampfer unter fließendem Wasser gründlich abwaschen, verlesen, tropfnass in einen Topf geben und kurz erhitzen, bis die Blätter zusammengefallen sind.

Zubereitung

Die Blätter herausnehmen, abtropfen lassen, sehr fein hacken und durch ein Sieb streichen. Die Butter in einem Topf erhitzen und das Mehl darin hellgelb anschwitzen. Die Brühe nach und nach zugießen, alles gut durchrühren, etwa 5 Minuten köcheln lassen und den Sauerampfer zugeben. Die saure Sahne mit den Eigelben verquirlen, in die Suppe einrühren und nicht mehr kochen lassen. Mit Salz, Zucker und Pfeffer abschmecken. Die Eier schälen, in dünne Scheiben schneiden, auf 4 Teller verteilen und die Suppe darüber geben.

Servieren

Von den Weißbrotscheiben die Rinde entfernen, würfeln, in einer Pfanne goldbraun rösten und über die Suppe streuen. Noch heiß servieren.

Merkzettel

Sauerampfer schmeckt auch gut in Salaten oder Mayonnaisen. Da er sich nicht trocknen lässt, kann er nur frisch verwendet werden.

Sauerampfersuppe

Für 4 Personen
Zubereitungszeit: 30 Minuten
Kochzeit: 25 Minuten

Einkaufsliste/Zutaten

250 g Sauerampfer
50 g Butter
40 g Mehl
1 l Gemüsebrühe
125 ml saure Sahne
2 Eigelb
Zucker
Salz
Weißer Pfeffer aus der Mühle

Garnierung

2 El geröstete Weißbrotwürfel

Vorküche

Den Sauerampfer sorgfältig verlesen und in kaltem Wasser gründlich waschen. Anschließend nass in einen Topf geben und kurz erhitzen, bis die Blätter zusammengefallen sind.

Zubereitung

Den Sauerampfer auf ein Sieb geben, abtropfen lassen und sehr fein hacken. Die Butter in einem Topf zerlassen, das Mehl darin hellgelb anschwitzen, nach und nach unter Rühren die heiße Gemüsebrühe angießen. Die Brühe 5 Minuten köcheln lassen und dann den Sauerampfer zugeben. Die saure Sahne mit den Eigelben in einer Tasse verquirlen und in die nicht mehr kochende Suppe einrühren. Die Suppe mit Zucker, Salz und Pfeffer abschmecken.

Servieren

Die Sauerampfersuppe in vorgewärmte Suppenteller verteilen und mit den gerösteten Brotwürfeln garnieren.

Merkzettel

Sauerampfer enthält viel Vitamin C und kann nur frisch verarbeitet werden.

Sauerkrautsuppe

Für 4 Personen
Zubereitungszeit: 20 Minuten
Koch- & Bratzeit: ca. 1½ Stunden

Einkaufsliste/Zutaten

1,5 kg Eisbein
2 Lauchstangen
1 Knoblauchzehe
Salz
1 Tl edelsüßes Paprikapulver
5 El Öl
500 g Sauerkraut
4–6 Wacholderbeeren
3 El Mehl
500 ml Sauermilch
Weißer Pfeffer aus der Mühle

Vorküche

Das Eisbein gründlich waschen. Die Lauchstangen von den äußeren Blättern befreien, waschen und in Ringe schneiden. Knoblauch pellen und halbieren.

Zubereitung

Das Eisbein in einen Topf mit 1 l kochendem Wasser geben.
Kurz aufkochen lassen und mit Salz, Knoblauch und Paprikapulver würzen.
Das Eisbein etwa 1–1½ Stunden lang weich kochen.
Zwischenzeitlich das Öl in einem Schmortopf erhitzen, den Lauch darin kurz andünsten und das Sauerkraut dazugeben. Mit den Wacholderbeeren, etwas Paprikapulver und einer Prise Salz würzen.
Etwas Mehl darüber streuen und mit der Sauermilch verrühren.
Das Ganze etwa 20 Minuten bei geringer Hitze garen lassen.
Gegebenenfalls etwas Fleischsud dazugeben.
Das Fleisch aus dem Sud nehmen, vom Knochen lösen und klein schneiden. Als Einlage in die Suppe geben.
Nochmals mit Salz und Pfeffer abschmecken.

Servieren

Füllen Sie die Sauerkrautsuppe in eine Suppenterrine und servieren Sie dieses schmackhafte Gericht mit einem kühlen Bier und einem Klaren.

Merkzettel

Unter Zugabe von Kartoffeln wird dieses Gericht gehaltvoller.

Schwäbische Spargelsuppe

Für 4 Personen
Zubereitungszeit: 15 Minuten
Koch- & Bratzeit: 30 Minuten

Einkaufsliste/Zutaten

500 g Spargel
1 Tl Zucker
60 g Butter
1 El gehackte Petersilie
1 El Mehl
1 l Fleischbrühe
Salz
Weißer Pfeffer aus der Mühle
2 Flädle

Garnierung

1 El gehackte Sauerampferblätter

Vorküche

Den Spargel sorgfältig schälen, holzige Teile entfernen und in etwa 3 cm lange Stücke schneiden. Die Flädle in dünne Streifen schneiden.

Zubereitung

Salzwasser mit Zucker zum Kochen bringen und die Spargelstücke im geschlossenen Topf je nach Stärke etwa 20 Minuten köcheln lassen, durch ein Sieb abgießen und abtropfen lassen.
Die Butter erhitzen, Petersilie anschwitzen, das Mehl einstreuen und mit etwas Spargelwasser ablöschen. Die Fleischbrühe angießen, Spargelstücke zugeben, nochmals kurz aufkochen lassen und mit Salz und Pfeffer abschmecken.

Servieren

Die Flädlestreifen auf vorgewärmten Suppentellern anrichten und die Suppe darüber geben. Jeweils etwas gehackten Sauerampfer darüber geben und noch heiß zu Tisch bringen.

Merkzettel

Frischen Spargel erkennt man an den noch feuchten Schnittflächen.

Spargelcremesuppe

Für 4 Personen
Zubereitungszeit: 20 Minuten
Kochzeit: 1 Stunde

Einkaufsliste/Zutaten

500 g Spargel
Salz
50 g Butter
40 g Mehl
2 Eigelb
3 El Weißwein
250 ml Sahne
Weißer Pfeffer aus der Mühle
Muskatnuss
Zucker

Garnierung

2 El Schnittlauchröllchen

Vorküche

Den Spargel unter fließendem, kaltem Wasser waschen und vom Kopf her großzügig schälen. In etwa 3 cm große Stücke schneiden, mit einem feuchten Küchentuch abdecken und beiseite stellen.

Zubereitung

Die Spargelschalen in einen Topf mit 750 ml Salzwasser geben und mit geschlossenem Deckel 30 Minuten köcheln lassen. Die Brühe durch ein Sieb geben, in einem Topf auffangen und die Spargelstücke zugeben und mit geschlossenem Deckel 20 Minuten köcheln lassen. Die Spargelstücke mit einem Schaumlöffel herausnehmen und warm stellen. Die Butter in einem weiteren Topf erhitzen, das Mehl zugeben, 2 Minuten durchschwitzen lassen und mit der Spargelbrühe ablöschen. Unter ständigem Rühren 10 Minuten köcheln lassen und dann vom Herd nehmen. Die Eigelbe mit etwas Suppe verquirlen und in die Suppe einrühren. Den Weißwein und die Sahne zugeben und mit Salz, Pfeffer, Muskatnuss und Zucker abschmecken. Die Spargelstücke wieder in die Suppe geben, noch mal erhitzen, aber nicht mehr kochen lassen.

Servieren

Die Suppe in vorgewärmte Suppentassen verteilen und mit den Schnittlauchröllchen bestreuen. Wer mag, kann getoastetes Weißbrot dazu reichen.

Merkzettel

Frischen Spargel erkennt man an den noch feuchten Schnittenden.

Süße Brotsupp

Für 4 Personen
Zubereitungszeit: 10 Minuten (ohne Wartezeit)
Kochzeit: 10 Minuten

Einkaufsliste/Zutaten

500 g trockenes Brot mit Kanten und Kruste
100 g Rosinen
1,5 l Milch
200 g Zucker
50 g Kakao

Garnierung

30 g gehackte, süße Mandeln

Vorküche

Die Brotreste über Nacht in reichlich kaltem Wasser einweichen. Die Rosinen in etwas Milch ebenfalls vorweichen.

Zubereitung

Das eingeweichte Brot erhitzen und das überschüssige Wasser abgießen. Das Brot durch ein Sieb passieren und mit 1 l Milch und den Rosinen langsam unter ständigem Rühren aufkochen. Zucker und Kakao mit der restlichen Milch glatt rühren und in die heiße Suppe geben. Nochmals aufwallen lassen.

Servieren

Die Suppe in eine Terrine füllen und die gehackten Mandeln darüber streuen.

Merkzettel

Vorsicht: Brot und Suppe brennen leicht an. Dieses einfache Gericht schmeckt im Sommer auch kalt serviert sehr gut.

T

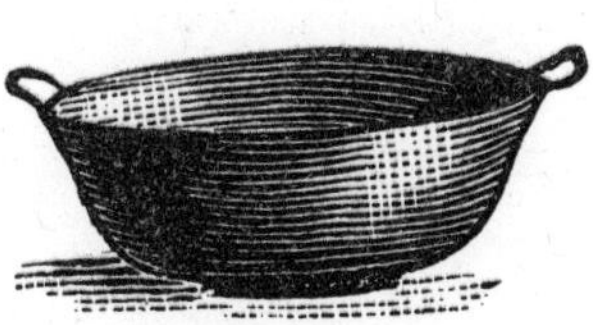

Thüringer Kaninchensuppe

Für 4–6 Personen
Zubereitungszeit: 30 Minuten
Koch- & Bratzeit: ca. 2½ Stunden

Einkaufsliste/Zutaten

1 Gemüsezwiebel
1 Möhre
¼ Sellerieknolle
2 Scheiben Graubrot
100 g Butter
1 kg Kaninchenklein
(Knochen und Fleischabschnitte)
4 Wacholderbeeren
2 Lorbeerblätter
3 Nelken
½ Tl schwarze Pfefferkörner
1 El gekörnte Gemüsebrühe (instant)
250 ml Rotwein
2 El Speisestärke
Salz
125 ml Madeira

Garnierung

Geröstete Brotwürfel

Vorküche

Gemüsezwiebel, Möhre und Sellerie putzen und in Würfel schneiden.
Das Brot entrinden, würfeln und in der Hälfte der Butter knusprig braten.

Zubereitung

Die restliche Butter in einem großen Topf schmelzen und das Kaninchenklein mit den Zwiebelwürfeln darin anbraten. Wacholderbeeren, Lorbeerblätter, Nelken, Pfefferkörner, Möhren- und Selleriewürfel zufügen und anschwitzen. Gekörnte Gemüsebrühe, Rotwein und 1 l Wasser dazugeben und die Suppe bei mittlerer Hitze im geschlossenen Topf etwa 2 Stunden köcheln lassen. Die Suppe durch ein Sieb gießen und gut ausdrücken. Die Brühe wieder in den Topf füllen und mit der in wenig Wasser angerührten Speisestärke binden. Etwas salzen und den Madeira dazugießen.

Servieren

Die Suppe in Suppentassen füllen und erst bei Tisch die knusprigen Brotwürfel darüber streuen.

Merkzettel

Wenn Kinder mitessen, sollte der Madeira erst bei Tisch in die Suppentassen kommen.

Thüringer Schlachtfestsuppe

Für 4 Personen
Zubereitungszeit: 25 Minuten
Koch- & Bratzeit: 20 Minuten

Einkaufsliste/Zutaten

4 Zwiebeln
1 Möhre
¼ Sellerieknolle
1 kleine Lauchstange
4–6 Scheiben Schwarzbrot
2 El Öl
2 Bund Petersilie
50 g Thüringer Hausmacher-Blutwurst
50 g Leberwurst
50 g Sülzwurst
2 El Butterschmalz
Schwarzer Pfeffer aus der Mühle
Majoran
Salz
1,5 l Fleischbrühe

Garnierung

Fein gehackte Petersilie

Vorküche

Die Zwiebeln schälen und in Ringe schneiden. Möhren und Sellerieknolle schälen, waschen und in kleine Würfel schneiden. Die Lauchstange von den äußeren Blättern befreien, waschen und in feine Ringe schneiden. Das Schwarzbrot in kleine Würfel schneiden und in heißem Öl rösten. Die Petersilie gründlich waschen, trockenschütteln und fein hacken. Blut-, Leber- und Sülzwurst vom Darm befreien und klein schneiden.

Zubereitung

Das Butterschmalz in einem Topf erhitzen und die Zwiebeln mit Möhren- und Selleriewürfeln sowie Lauchringen darin andünsten. Mit Pfeffer, Majoran und Salz abschmecken. Die Fleischbrühe aufgießen und zum Kochen bringen. Blut-, Leber- und Sülzwurst dazugeben und bei mittlerer Hitze etwa 10 Minuten ziehen lassen. Schwarzbrot und Petersilie (etwas beiseite stellen) dazugeben und unterrühren.

Servieren

Füllen Sie die Thüringer Schlachtfestsuppe, mit der restlichen Petersilie bestreut, in tiefe Teller und servieren Sie diese möglichst heiß.

Merkzettel

Sie können diese Suppe auch anstelle von Schwarzbrot mit Thüringer Klößen zubereiten. Dann den Kloßteig für die Klöße mit einem Teig aus 250 g Schweinemett, Pfeffer, Knoblauch und 1 Ei verkneten und kleine Klößchen formen, in die Fleischbrühe geben und 10 Minuten ziehen lassen.

W

Walliser Eintopf

Für 4 Personen
Zubereitungszeit: 20 Minuten (ohne Wartezeit)
Kochzeit: 40 Minuten

Einkaufsliste/Zutaten

200 g Dörrbirnen
300 g Wirsing
400 g Möhren
200 g Sellerie
400 g Lauch
500 g Kartoffeln
2 El Öl
1 Zwiebel
1 Glas Weißwein
300 g durchwachsener Speck
Salz
Weißer Pfeffer aus der Mühle

Garnierung

4 Scheiben geröstetes Weißbrot

Vorküche

Die Dörrbirnen 12 Stunden in Wasser einweichen, anschließend abgießen und abtropfen lassen. Das Gemüse waschen, putzen und in grobe Stücke schneiden.

Zubereitung

Das Öl in einem Topf erhitzen und die klein gehackte Zwiebel mit dem Gemüse darin etwa 10 Minuten anschwitzen. Die Birnen zugeben und alles mit 125 ml Wasser und dem Wein ablöschen. Den Speck obenauf legen, das Ganze weitere 20–30 Minuten garen lassen und mit Salz und Pfeffer abschmecken.

Servieren

Den Eintopf heiß zu Tisch bringen und je Portion eine Scheibe geröstetes Weißbrot dazu reichen.

Merkzettel

Der Eintopf gewinnt an Gehalt und Geschmack, wenn man die Reste am nächsten Tag erneut aufwärmt.

Weißkohl-Bohnen-Suppe mit Speck

Für 4 Personen
Zubereitungszeit: 40 Minuten (ohne Wartezeit)
Kochzeit: 65 Minuten

Einkaufsliste/Zutaten

350 g weiße Bohnen
1 kleiner Weißkohl
3 kleine Möhren
300 g Kartoffeln
1 Zwiebel
1 Lauchstange
1 Bund Petersilie
600 g magerer, geräucherter Speck
Pfeffer
Ggf. Salz

Garnierung

Frisch gehackte Petersilie

Vorküche

Die Bohnen über Nacht in Wasser einweichen. Den Weißkohl von den äußeren Blättern befreien, in feine Streifen schneiden, waschen und gut abtropfen lassen. Möhren und Kartoffeln schälen, waschen und in kleine Würfel schneiden. Die Zwiebel schälen und in feine Ringe schneiden. Den Lauch putzen, ebenfalls in feine Ringe schneiden, waschen und abtropfen lassen. Die Petersilie gründlich waschen, gut trockenschütteln und fein hacken.

Zubereitung

In einem großen Topf 2 l Wasser zum Kochen bringen und den Speck darin etwa 30 Minuten bei mittlerer Hitze köcheln lassen. Die Bohnen abgießen und zum Speck geben. Nach etwa 15 Minuten das Gemüse dazugeben und alles zusammen nochmals 20 Minuten köcheln lassen. Mit Pfeffer würzen. Falls die Suppe durch den Speck nicht würzig genug sein sollte, ggf. salzen.

Servieren

Die Suppe in tiefe Teller füllen und mit Petersilie bestreut servieren.

Merkzettel

Sie können diese Suppe auch mit Wiener Würstchen oder heißer Mettwurst servieren.

Wiener Erdäpfelsuppe

Für 4 Personen
Zubereitungszeit: 15 Minuten
Kochzeit: ca. 25 Minuten

Einkaufsliste/Zutaten

100 g Kartoffeln
100 g Wurzeln (Möhren oder gelbe Rüben)
50 g Zwiebel
50 g Speck
20 g getrocknete Pfifferlinge
20 g Butter
20 g Mehl
1 l Brühe
Salz
Pfeffer
Majoran

Garnierung

1 Bund Schnittlauch

Vorküche

Die Kartoffeln und die Wurzeln schälen. Die Zwiebel pellen.
Kartoffeln, Wurzeln, Speck und Zwiebel fein würfeln.
Den Schnittlauch waschen und in kleine Röllchen schneiden.

Zubereitung

Die Butter erhitzen und den Speck und die Zwiebel darin hell anbraten. Mit Mehl bestäuben und die Brühe zugießen.
Die gewürfelten Wurzeln mit den Pilzen dazugeben. Mit Salz, Pfeffer und Majoran würzen und 10 Minuten köcheln lassen.
Dann die Kartoffeln dazugeben und weich kochen.

Servieren

Die Kartoffelsuppe in einer Suppenterrine anrichten und mit den Schnittlauchröllchen bestreut servieren.

Merkzettel

Dazu passt rustikales Bauernbrot und ein Glas Bier.

Wildsuppe

Für 4 Personen
Zubereitungszeit: 10 Minuten
Koch- & Bratzeit: 1¼ Stunden

Einkaufsliste/Zutaten

2 Zwiebeln
2 Möhren
120 g Sellerie
50 g durchwachsener Speck
350–400 g Wildreste (auch Knochen)
1,25 l Fleischbrühe
5 g getrocknete Waldpilze
Salz
1 Lorbeerblatt
Wildgewürz
2 El Mehl
125 ml süße Sahne
1 Tl Tomatenmark
Zucker
Salz
Pfeffer
Evtentuell Rotwein

Garnierung

In Butter geröstete Weißbrotwürfel

Vorküche

Das Gemüse und den Speck würfeln. Das Fleisch in kleine Stücke schneiden und die Brühe erhitzen.

Zubereitung

Den Speck auslassen und die Fleischstücke kräftig darin anbraten. Die Zwiebeln zugeben und leicht anbräunen, das restliche Gemüse mit den Pilzen kurz mitdünsten. Mit der heißen Brühe ablöschen, Salz, Lorbeer und Wildgewürz zugeben und etwa 1 Stunde bei kleiner Hitze garen lassen. Mehl und Sahne verrühren und die Suppe damit binden. Mit Tomatenmark, Zucker, Salz und Pfeffer abschmecken. Zum Schluss nach Belieben mit etwas Rotwein verfeinern.

Servieren

Die Suppe in vorgewärmte Suppentassen füllen und die in Butter gerösteten Weißbrotwürfel darüber geben.

Merkzettel

Als Suppenfleisch eignen sich Hals- und Brustfleisch von Hirsch und Reh, die Knochen hierbei unbedingt mitkochen.

Register